J.-F. Mallet

SIMPLISSIME

LE LIVRE
DE CUISINE
LIGHT
LE + FACILE
DU MONDE

Des recettes légères lues en un coup d'œil, réalisées en un tour de main

hachette
CUISINE

Cet ouvrage n'est pas un livre de régime mais plutôt un recueil de recettes légères (ou allégées), saines, savoureuses et variées. Il vient en réponse à une question que mes amis –filles et garçons– me posent régulièrement : comment se nourrir au quotidien sans prendre de poids et en mangeant autre chose que trois feuilles de salade, un yaourt et une pomme ?

Se faire plaisir tout en faisant attention à sa ligne et à sa santé, savoir se renouveler devant ses casseroles en mangeant 5 fruits et légumes par jour avec seulement quelques ingrédients qu'on a dans son réfrigérateur, dans son placard ou que l'on peut trouver facilement au coin de la rue, c'est possible.

À travers ce second livre, je souhaite vous faire partager des recettes pour tous les jours, rapides, faciles et pour tous les goûts. Grâce à une association de saveurs et d'ingrédients simples, il est tout à fait possible de faire de bons petits plats légers et gourmands, et même parfois d'épater la galerie, sans y passer des heures.

Utilisant 3 à 5 ingrédients, les recettes sont clairement expliquées et simplissimes à réaliser. Vous apprendrez à tout cuisiner à la vapeur, même à cuire de la viande rouge saignante. Vous cuisinerez des sauces classiques, gourmandes, super allégées –même de la mayonnaise– qui, accompagnées de grillades, légumes ou salade, deviendront le cœur de votre repas. Vous découvrirez qu'un bouillon à base de thé vert, qu'une papillote ou qu'un gigot cuit dans l'eau peuvent devenir de bons petits plats au quotidien.

Je vous souhaite de très beaux moments en cuisine et surtout bon appétit pour garder la ligne et la forme.

MODE D'EMPLOI

Pour ce livre, je pars du principe que vous avez chez vous :

- L'eau courante
- Une cuisinière
- Un réfrigérateur
- Une poêle
- Une cocotte en fonte
- Un couteau (bien aiguisé)
- Du sel et du poivre
- De l'huile d'olive

(Si ce n'est pas le cas c'est peut-être le moment d'investir !)

L'investissement inévitable :
- **Le cuit-vapeur :** idéalement équipé d'une minuterie, il offre un gain de temps considérable et garantit la réussite de certaines recettes de ce livre.

Quels ingrédients sont indispensables ?
- **Le frais plutôt que les conserves :** vous ne trouverez quasiment aucune conserve dans ce livre en dehors des indispensables, comme le lait de coco et le concentré de tomates.
- **Les surgelés :** Même si on utilise essentiellement des produits frais, il est parfois plus simple d'acheter des produits surgelés tels que les petits pois, les fruits de mer et certains filets de poisson.
- **Les herbes :** les herbes fraîches n'ont pas leur égal, ce sont elles qu'il faut privilégier ! En cas de grosse panne, vous pouvez toujours utiliser la version surgelée ou séchée (mais c'est moins bon).
- **Les huiles :** l'huile d'olive – toujours vierge extra, c'est la meilleure –, les huiles de noisette, de sésame, de noix.
- **Les fruits et légumes :** veillez à utiliser des fruits et légumes de saison et de préférence – mais ce n'est pas obligatoire – bios (notamment pour les citrons dont on utilise très souvent la peau).
- **La sauce soja :** de préférence japonaise, type Kikkoman®, celle avec le bouchon vert – elle est moins salée.

Quel geste adopter ?
- **Cuire au bain-marie :** cette technique permet de faire fondre ou cuire un aliment sans le brûler. Placez le récipient ou la casserole dans lequel se trouve la préparation dans un autre plus grand contenant de l'eau en ébullition.
- **Mariner (faire) :** mettez à tremper un ingrédient dans une préparation aromatique pour la parfumer ou l'attendrir.
- **Monter les blancs d'œufs en neige :** ajoutez une pincée de sel aux blancs d'œufs et utilisez un batteur électrique en faisant monter progressivement la puissance. Battez toujours les blancs dans le même sens pour ne pas les casser.
- **Peler une orange à vif :** retirez avec un couteau l'écorce et les peaux blanches. Coupez les deux extrémités de l'orange et ôtez petit à petit l'écorce au couteau en faisant glisser la lame entre l'écorce et le fruit, du haut vers le bas.

- **Réduire :** diminuez le niveau d'un jus ou d'un bouillon sur le feu par évaporation (sans couvrir donc…), en le maintenant à ébullition. Ce procédé permet de concentrer les saveurs et d'obtenir davantage d'onctuosité.
- **Zester un citron :** il existe 3 façons de zester un citron. Pour les débutants et pour obtenir un zeste très fin, utilisez une râpe à fromage sur la peau du citron, en passant une seule fois par zone sans atteindre la peau blanche. Pour les professionnels et pour obtenir des zestes qui ressemblent à des vermicelles, utilisez un zesteur. Pour les débrouillards et pour obtenir des sortes de copeaux, utilisez un Économe.

Cuisiner à la vapeur :

Il paraît que la cuisson à la vapeur, c'est triste et sans goût…

Chassons les idées reçues : cuisiner à la vapeur, c'est light car on n'utilise pas de matières grasses. Cela revient à cuire au four et à l'eau à la fois, mais en préservant les vitamines.

Ce mode de cuisson est idéal pour les légumes, les poissons, les volailles et les viandes blanches tendres. Il est, en revanche, peu conseillé pour la viande rouge. Pourtant, en suivant à la lettre les indications de ce livre, vous pourrez obtenir des viandes – et même du gibier – saignantes et juteuses !

Quel ustensile choisir ?

- **Le cuit-vapeur :** c'est l'appareil idéal pour cuisiner sans trop de surveillance. Composé de 2 ou 3 paniers empilés les uns sur les autres, il permet de cuire à la fois entrée et plat.
- **Le batteur électrique :** avec ses fouets, il est parfait pour mélanger les sauces, monter les blancs en neige ou la crème en chantilly. On peut aussi le remplacer par un fouet à main et de l'huile de coude !
- **Le mixeur plongeant :** appelé aussi mixeur girafe, il s'utilise pour mixer des préparations liquides (soupe, smoothies, milk-shake…). Il est très pratique, peu cher et peu encombrant, et de plus engendre peu de vaisselle car il s'utilise directement dans la préparation à mixer sans avoir à la transvaser dans un bol.
- **Le blender :** il est plus cher et plus encombrant que le mixeur plongeant, mais vous obtiendrez plus de velouté et d'onctuosité ; il en résultera aussi plus de vaisselle car il faut transvaser le liquide à mixer dans le bol.
- **Le robot multifonctions :** comme son nom l'indique, c'est un robot multi-usages. Il possède divers outils tels qu'une lame, un fouet, un éminceur, un hachoir ou un émulsionneur.

Quel thermostat ?

90 °C : th. 3	150 °C : th. 5	210 °C : th. 7	270 °C : th. 9
120 °C : th. 4	180 °C : th. 6	240 °C : th. 8	300 °C : th. 10

C'est tout.
Pour le reste, il n'y a qu'à suivre la recette !

GRESSINS AU SÉSAME

364 Kcal/pers.

—

Veggie

—

Sans gluten

Farine de sarrasin
200 g

Poudre d'amandes
80 g

Petits-suisses
x 2

Graines de sésame
2 cuil. à soupe

Préparation : 15 min
Cuisson : 10 min

• Mélangez la **poudre d'amandes**, la **farine** et les **petits-suisses** jusqu'à obtenir une pâte homogène. Préchauffez le four à 180°C.

• Séparez la pâte en petits pâtons, façonnez les gressins et recouvrez-les de **sésame**.

• Disposez les gressins dans un plat recouvert de papier cuisson et laissez cuire 10 min à 180°C. Dégustez tièdes, accompagnés d'avocats écrasés.

HOUMOUS DE PANAIS À LA CORIANDRE

68 Kcal/pers.

—

Veggie

—

Vapeur

Panais
x 2

Coriandre
1 botte

Curry
2 cuil. à soupe

Fromage blanc
2 cuil. à soupe

Huile d'olive
1 cuil. à soupe

Sel, poivre

Préparation : 15 min
Cuisson : 25 min

- Épluchez et faites cuire les **panais** 25 min au cuit-vapeur.
- Écrasez-les avec un presse-purée puis ajoutez la **coriandre** lavée et hachée, le **curry**, le **fromage blanc**, l'**huile d'olive**. Salez, poivrez et mélangez. Dégustez froid avec des bâtonnets de légumes.

ROULEAUX DE PRINTEMPS À LA POIRE

107 Kcal/pers.

—

Sans gluten

—

Sans lactose

Poires
x 2

Viande des grisons
4 tranches

Roquette
100 g

Coriandre
1 botte

Galettes de riz
x 8 (21 cm)

👤👤👤👤

🕑

Préparation : 10 min

- Épluchez et coupez les **poires** en huit. Lavez et séchez la **coriandre** et la **roquette**.
- Peu de temps avant de déguster, trempez les **galettes** dans un saladier d'eau et disposez-les sur le plan de travail, le côté lisse vers le bas.
- Répartissez les ingrédients sur la partie supérieure des galettes, puis roulez en serrant bien. Dégustez entier ou en morceaux.

ROULEAUX DE PRINTEMPS À LA CREVETTE

70 Kcal/pers.

—

Sans gluten

—

Sans lactose

Crevettes roses
x 24 cuites

Kiwis
x 2

Menthe
18 feuilles

Coriandre
1 botte

Galettes de riz
x 8 (21 cm)

Préparation : 10 min

- Décortiquez les **crevettes**. Coupez les **kiwis** en 8. Lavez et hachez la **coriandre** et la **menthe**.
- Peu de temps avant de déguster, trempez les **galettes** dans un saladier d'eau et disposez-les sur le plan de travail, le côté lisse vers le bas.
- Répartissez les ingrédients sur la partie supérieure des **galettes**, puis roulez en serrant bien. Dégustez entier ou en morceaux.

ROULEAUX DE PRINTEMPS AU SAUMON

112 Kcal/pers.

—

Sans gluten

—

Sans lactose

Saumon fumé
8 fines tranches

Pommes vertes
x 2

Salade
4 feuilles

Basilic
16 feuilles

Galettes de riz
x 8 (21 cm)

Préparation : 10 min

• Épluchez et coupez les **pommes** en lamelles. Lavez la **salade** et le **basilic**.

• Peu de temps avant de déguster, trempez les **galettes** dans un saladier d'eau et disposez-les sur le plan de travail, le côté lisse vers le bas. Répartissez les ingrédients sur la partie supérieure des galettes, puis roulez en serrant bien. Dégustez entier ou en morceaux.

RILLETTES D'AILE DE RAIE À LA TOMATE

196 Kcal/pers.

—

Sans gluten

—

Sans lactose

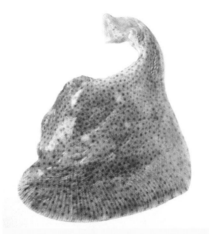

Aile de raie
800 g

Tomates
x 2

Pousses d'épinards
60 g

Moutarde en grains
2 cuil. à soupe

Câpres au vinaigre
60 g

Préparation : 25 min
Cuisson : 20 min

• Lavez, équeutez et coupez les **pousses d'épinards** en 3. Taillez les **tomates** en petits morceaux.

• Placez la **raie** dans une casserole, couvrez d'eau et laissez cuire 20 min à feu doux. Égouttez, retirez la peau et le cartilage puis mélangez la chair tiède avec le reste des ingrédients.

• Dégustez vos rillettes tièdes ou froides.

BROCHETTES DE POULET ET COURGETTES

224 Kcal/pers.

—

Sans gluten

—

Sans Lactose

Blancs de poulet
x 2

Courgette
x 1

Citrons
x 2

Thym séché
1 cuil. à soupe

Huile d'olive
2 cuil. à soupe

 Sel, poivre

Préparation : 20 min
Marinade : 30 min
Cuisson : 20 min

• Préchauffez le four à 180°C. Découpez le **poulet** en lanières, taillez la **courgette** en lanières avec un économe. Montez les brochettes sur des piques en bois et mettez-les à mariner 30 min dans l'**huile d'olive**, le zeste râpé, le **thym** et le jus des **citrons**. Salez et poivrez. Enfournez les brochettes 20 min. Dégustez chaud ou froid.

POISSON CRU À LA TAHITIENNE

422 Kcal /pers.

—

Sans lactose

—

Sans gluten

Espadon
600 g

Lait de coco
40 cl

carotte
x 1 (grosse)

Citrons verts
x 4

coriandre
1 botte

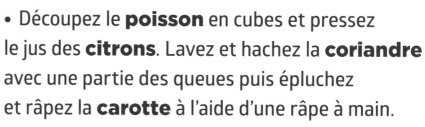

Sel, poivre

👤👤👤👤

Préparation : 15 min
Marinade : 5 min

• Découpez le **poisson** en cubes et pressez
le jus des **citrons**. Lavez et hachez la **coriandre**
avec une partie des queues puis épluchez
et râpez la **carotte** à l'aide d'une râpe à main.

• Mélangez tous les ingrédients dans un saladier.
Salez, poivrez, laissez mariner 5 min au frais
et dégustez.

ROULADES D'AUBERGINES

129 Kcal/pers.

—

Sans gluten

—

Vapeur

Aubergine
x 1 grosse (ou 2 petites)

Chèvre frais
120 g

Jambon blanc
4 tranches découennées

Thym séché
3 cuil. à café

 Sel, poivre

 1 filet d'huile d'olive

 ☺

Préparation : 25 min
Cuisson : 20 min

- Taillez l'**aubergine** en 12 tranches et faites-les cuire 20 min au cuit-vapeur.
- Mélangez le **chèvre** avec le **thym**. Coupez les tranches de **jambon** en 4
- Étalez les **aubergines** et les tranches de **jambon**. Répartissez la préparation au fromage et roulez en serrant légèrement.
- Dégustez avec un filet d'huile d'olive.

PRAIRES À L'AVOCAT

187 Kcal /pers.

—

Sans gluten

—

Sans lactose

Praires
x 30

Avocat
x 1

Citrons verts
x 3

Aneth
1 botte

Huile d'olive
1 cuil. à soupe

Préparation : 20 min
Cuisson : 10 min

- Faites ouvrir les **praires** à feu vif avec 2 cl d'eau. Égouttez et filtrez le jus.
- Mélangez le jus des **citrons** pressés avec les **avocats** coupés en petits dés, l'**huile d'olive**, l'**aneth** haché et 15 cl de jus de cuisson.
- Enlevez la demi-coquille du dessus et dressez les **praires** dans des assiettes et garnissez-les de préparation à l'avocat. Dégustez tiède ou froid.

BOUCHÉES DE PORC ET CREVETTE

128 Kcal/pers.

—

Vapeur

—

Sans gluten

Filet mignon de porc
300 g

Crevettes crues
x 16 décortiquées

Œuf
x 1

Graines de sésame
1 cuil. à soupe

  Sel, poivre

 1 filet d'huile de sésame

👥👥👥👥

🕐

Préparation : 20 min
Cuisson : 10 min

• Mixez le **porc**, 8 **crevettes** et l'**œuf**.
• Ajoutez à la préparation le reste des **crevettes** coupées en morceaux. Salez, poivrez et disposez la farce en petites bouchées sur des morceaux de papier sulfurisé.
• Faites cuire 10 min au cuit-vapeur. Saupoudrez de **graines de sésame** et dégustez-les tièdes ou froides avec un filet d'**huile de sésame**.

BAR MARINÉ AU PAMPLEMOUSSE

194 Kcal/pers.

—

Sans gluten

—

Sans lactose

Filet de bar
500 g (sans peau ni arêtes)

Pamplemousse rose
x 1

Coriandre
½ botte

Huile d'olive
3 cuil. à soupe

 **Sel, poivre**

👤👤👤👤

🕐

Préparation : 15 min

- Filtrez le jus du **pamplemousse** pressé et mélangez-le avec l'**huile d'olive**.
- Taillez le **bar** en fines tranches. Lavez et hachez la **coriandre**.
- Répartissez les tranches sur des assiettes individuelles. Ajoutez le jus de **pamplemousse** et la **coriandre**. Salez, poivrez et dégustez.

TERRINE DE VOLAILLE AU CITRON CONFIT

262 Kcal/pers.

—

Sans gluten

Blancs de poulet
x 2

Pousses d'épinards
150 g

Citrons confits
x 2

Œufs
x 2

Petits-suisses
x 2

 Sel, poivre

 1 filet d'huile d'olive pour le moule

Préparation : 25 min
Cuisson : 40 min

30

• Préchauffez le four à 180°C. Mixez le **poulet** dans un robot avec les **œufs**, les **petits-suisses**, le **sel** et le **poivre**. Taillez les **citrons** en dés, lavez les **épinards** et ajoutez le tout à la farce.

• Versez dans un moule antiadhésif légèrement huilé et enfournez 40 min.

• Démoulez la terrine chaude et dégustez-la froide accompagnée de salade.

ASPERGES SAUCE MOUSSELINE

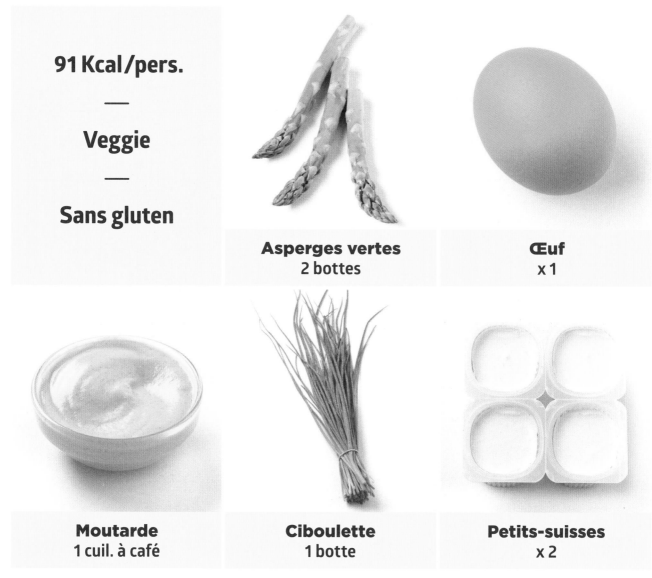

91 Kcal/pers.

—

Veggie

—

Sans gluten

Asperges vertes
2 bottes

Œuf
x 1

Moutarde
1 cuil. à café

Ciboulette
1 botte

Petits-suisses
x 2

 Sel, poivre

👥👥👥👥

Préparation : 15 min
Cuisson : 5 min

• Séparez le blanc du jaune. Mélangez le jaune avec les **petits-suisses**, la **moutarde** et la **ciboulette** émincée, salez, poivrez.
• Fouettez le blanc en neige avec un batteur puis incorporez-le délicatement dans le mélange à la **moutarde**. Faites cuire les **asperges** équeutées mais pas épluchées 5 min à la vapeur. Dégustez tiède avec la sauce froide.

FOIE CHAUD AUX CHANTERELLES

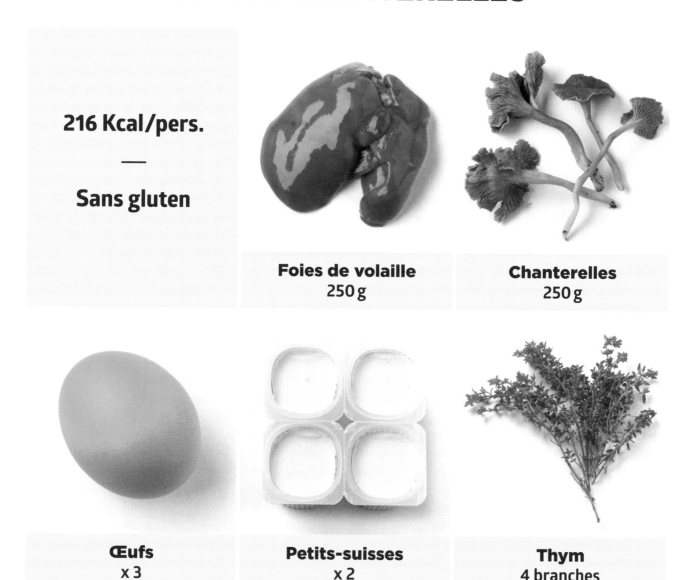

216 Kcal/pers.

—

Sans gluten

Foies de volaille
250 g

Chanterelles
250 g

Œufs
x 3

Petits-suisses
x 2

Thym
4 branches

 **Sel, poivre**

Préparation : 20 min
Cuisson : 25 min

• Préchauffez le four à 180°C. Nettoyez et découpez les **chanterelles** en morceaux.

• Mixez les **foies de volaille** avec les **œufs**, les **petits-suisses**, le **sel** et le **poivre**. Incorporez les **chanterelles** et versez dans quatre ramequins. Ajoutez une branche de **thym** par ramequin puis enfournez 25 min au bain-marie. Dégustez tiède à la cuillère.

CAROTTES TIÈDES, SAUCE SAFRAN

191 Kcal/pers.

—

Veggie

—

Vapeur

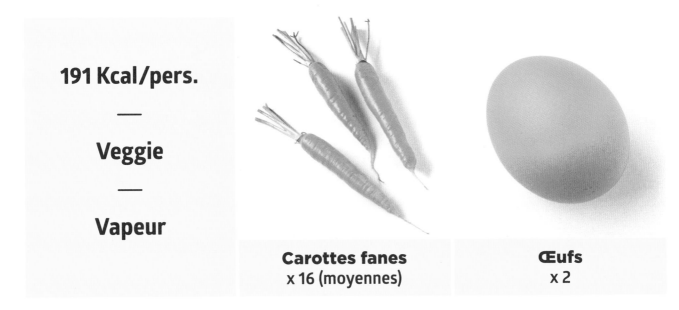

Carottes fanes
x 16 (moyennes)

Œufs
x 2

Petits-suisses
x 2

Safran
1 dose en poudre

 Sel, poivre

Préparation : 15 min
Cuisson : 30 min

- Épluchez les **carottes** et faites-les cuire 30 min au cuit-vapeur.
- Séparez les blancs des jaunes d'**œuf**. Mélangez les jaunes avec les **petits-suisses** et le **safran**. Salez, poivrez.
- Avant de servir, montez les blancs en neige puis incorporez-les dans le mélange au **safran**. Dégustez les **carottes** tièdes avec la sauce froide.

ŒUFS MAYONNAISE

212 Kcal/pers.

—

Sans gluten

—

Veggie

Œufs
x 6 (4 entiers + 2 jaunes)

Moutarde forte
2 cuil. à soupe

Petits-suisses
x 4

Salade
x 1 (petite)

 Sel, poivre

Préparation : 5 min
Cuisson : 9 min

• Mettez 4 **œufs** à cuire 10 min dans l'eau bouillante puis écalez-les.

• Fouettez les jaunes avec la **moutarde** et les **petits-suisses**. Salez, poivrez et dégustez la « mayonnaise » avec les **œufs** durs tiédis, accompagnés de **salade**.

FIGUES RÔTIES À LA VIANDE DES GRISONS

191 Kcal/pers.

—

Sans gluten

—

Sans lactose

Figues
x 8

Viande des grisons
8 tranches

Romarin
4 petites branches

 1 filet d'huile d'olive

♟♟♟♟

Préparation : 5 min
Cuisson : 10 min

• Préchauffez le four à 180°C. Faites une incision au centre de chaque tranche de **viande** puis enfilez-les sur les **figues**.

• Plantez une branche de **romarin** pour fixer l'ensemble et enfournez 10 min. Dégustez chaud avec un filet d'**huile d'olive** et une salade de roquette.

MILLEFEUILLE DE TOMATES VAPEUR

108 Kcal/pers.

—

Vapeur

—

Veggie

Tomates
x 4 (moyennes)

Courgette
x 1

Crottins de Chavignol
x 2

Origan
2 cuil. à café

 **Sel, poivre**

1 filet d'huile d'olive

👤👤👤👤

🕐

Préparation : 20 min
Cuisson : 8 min

• Découpez les **tomates**, les **crottins** et la **courgette** en rondelles. Assaisonnez d'**origan**, de **sel** et de **poivre**.

• Montez 4 millefeuilles en intercalant les différents ingrédients. Fixez-les à l'aide d'une pique en bois et faites cuire 8 min au cuit-vapeur.

• Dressez les millefeuilles, retirez les piques et dégustez tiède avec un filet d'**huile d'olive**.

CRÈME DE CHOU-FLEUR, COCO ET SAUMON

280 Kcal/pers.

—

Sans gluten

—

Sans lactose

Chou-fleur
x ½

Lait de coco
40 cl

Saumon fumé
2 tranches

Noix de coco râpée
1 cuil. à soupe

 **Sel, poivre**

Préparation : 15 min
Cuisson : 35 min

• Coupez le **chou-fleur** en petits morceaux. Mettez-le dans une casserole avec le **lait de coco** et laissez cuire 35 min à feu doux. Mixez le tout à l'aide d'un mixeur plongeant.

• Dressez la crème de **chou-fleur** dans des assiettes individuelles, ajoutez le **saumon fumé** coupé en morceaux, saupoudrez de **coco râpée** et dégustez.

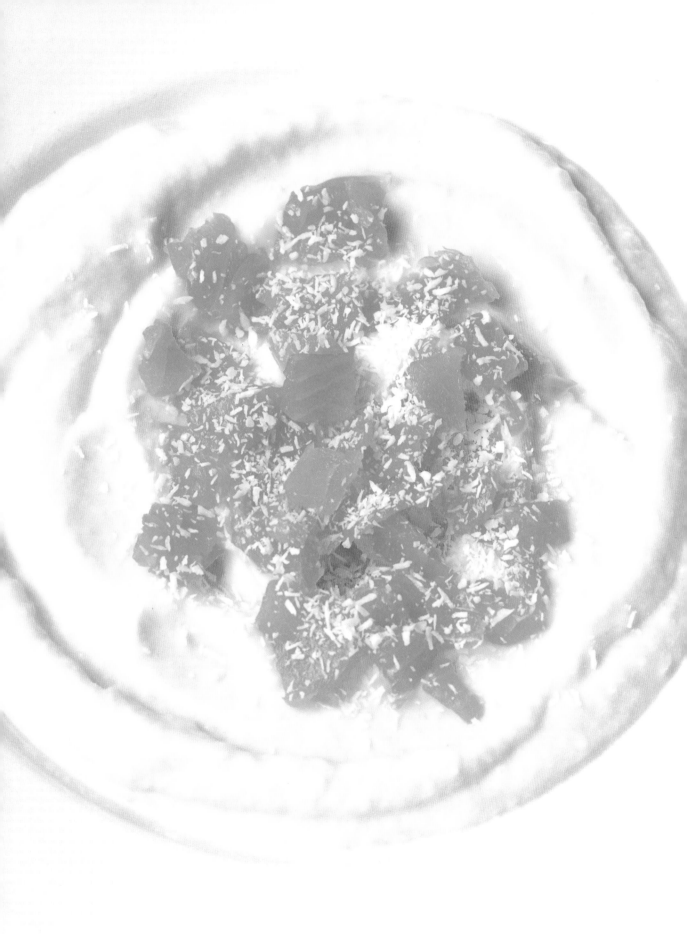

FOIE PAS TROP GRAS

339 Kcal/pers.

—

Sans gluten

—

Sans lactose

Foies de volaille
300 g

Foie gras frais
150 g

Œuf
x 1

Porto
4 cuil. à soupe

 Sel, poivre

🕐

Préparation : 20 min
Cuisson : 30 min
Réfrigération : 12 h

• Préchauffez le four à 180°C. Mixez les **foies de volaille** dans un robot avec l'**œuf**, le **porto**, le **sel** et le **poivre**.

• Placez le **foie gras** au fond d'une terrine, ajoutez les **foies** mixés, mélangez, tassez bien et enfournez 30 min au bain-marie.

• Laissez tiédir et placez une nuit au réfrigérateur. Dégustez sur des toasts de pain complet.

CRÈME DE CHOU-FLEUR ET CREVETTES

114 Kcal/pers.

—

Sans gluten

Chou-fleur
x ½

Crevettes crues
x 20 décortiquées

Paprika
1 cuil. à soupe

Crème allégée
40 cl

Menthe
1 botte

Sel, poivre

1 filet d'huile d'olive

Préparation : 20 min
Cuisson : 25 min

- Faites cuire le **chou-fleur** en morceaux dans une casserole avec la crème 40 min à feu doux.
- Mixez le tout à l'aide d'un mixeur plongeant.
- Saisissez les **crevettes** 2 min dans une poêle avec l'**huile d'olive** et le **paprika**.
- Dressez le **chou-fleur** dans des assiettes individuelles. Ajoutez les **crevettes** et dégustez tel quel ou avec de la **menthe fraîche**.

TERRINE DE VOLAILLE ET CREVETTES

244 Kcal/pers.

—

Sans gluten

Blanc de poulet
x 2

Crevettes crues
x 16 décortiquées

Paprika
2 cuil. à soupe

Œufs
x 2

Petits-suisses
x 2

  Sel, poivre

 1 filet d'huile d'olive

Préparation : 25 min
Cuisson : 40 min

• Préchauffez le four à 180°C. Mixez le **poulet** avec les **œufs**, le **paprika**, les **petits-suisses**, le **sel** et le **poivre**.

• Coupez les **crevettes** en morceaux et ajoutez-les à la farce. Versez dans un moule antiadhésif légèrement huilé et enfournez 40 min. Démoulez la terrine chaude et dégustez-la froide accompagnée de salade.

PAPILLOTE DE COQUES À LA VERVEINE

50 Kcal/pers.

—

Sans gluten

—

Sans lactose

Coques
x 60

Verveine séchées
2 pincées de feuilles

Citrons verts
x 2

 Sel, poivre

1 filet d'huile d'olive

Préparation : 10 min
Cuisson : 10 min

• Préchauffez le four à 180°C. Répartissez les **coques** et la verveine au centre de 4 feuilles de papier cuisson. Refermez hermétiquement chaque papillote.

• Disposez les papillotes dans un plat et enfournez 10 min. Dressez-les sur des assiettes et dégustez avec un jus de **citron** et un filet d'**huile d'olive**.

TARTARE DE SAUMON, AVOCAT, MENTHE

320 Kcal/pers.

—

Sans gluten

—

Sans lactose

Filet de saumon
400 g (sans peau ni arêtes)

Avocat
x 1

Menthe
20 feuilles

Citrons
x 2

Huile d'olive
1 cuil. à soupe

 **Sel, poivre**

☗☗☗☗

🕐 **Préparation : 20 min**

- Lavez et hachez grossièrement la **menthe**.
- Découpez le **saumon** et l'**avocat** en petits dés. Ajoutez le jus des **citrons**, l'**huile d'olive** et la **menthe**. Salez, poivrez, mélangez et dégustez bien frais.

CHAMPIGNONS FARCIS AU FROMAGE FRAIS

165 Kcal/pers.

Champignons de Paris
x 8 (gros)

Magret fumé
8 tranches

Fromage frais
x 5 portions

Sauce soja
2 cuil. à soupe

Thym séché
1 cuil. à café

Sel, poivre

☻☻☻☻

🕐

**Préparation : 20 min
Cuisson : 25 min**

• Préchauffez le four à 180°C. Retirez l'intérieur des **champignons**. Retirez le gras et coupez les tranches de **magret** en petits morceaux.

• Mélangez les morceaux de **magret** avec le **fromage**, le **thym** et l'intérieur des **champignons**. Salez, poivrez puis farcissez les têtes de **champignons**.

• Arrosez de **sauce soja** et enfournez 25 min.

TARTARE DE TRUITE

197 Kcal/pers.

—

Sans gluten

Truite fumée
4 tranches

Œufs de truite
1 pot (environ 100 g)

Citron vert
x 1

Filet de truite saumonée
400 g (sans peau)

Fromage blanc
1 cuil. à soupe

Sel, poivre

👪👪

⏱

Préparation : 10 min

• Découpez les **truites** en petits morceaux réguliers. Mélangez l'ensemble avec les **œufs**, le fromage blanc et le jus du citron vert. Dégustez bien frais sur du pain suédois.

CEVICHE PASSION CREVETTE

30 Kcal/pers.

—

Sans lactose

Fruits de la Passion
x 4 (gros)

Crevettes roses
x 8 cuites

Coriandre
½ botte

Sauce soja
4 cuil. à soupe

Huile d'olive
1 cuil. à soupe

Sel, poivre

Préparation : 15 min

- Épluchez et coupez les **crevettes** en petits morceaux. Lavez et hachez la **coriandre**.
- Coupez les **fruits de la Passion** en deux, récupérez la pulpe et mélangez-la au reste des ingrédients. Dressez à même la coque des fruits, ou bien dans des bols, salez, poivrez et dégustez.

POIREAUX VINAIGRETTE

78 Kcal/pers.

—

Veggie

—

Sans gluten

Poireaux
x 2

Moutarde en grains
2 cuil. à soupe

Vinaigre balsamique
2 cuil. à soupe

Yaourts à la grecque
x 2

Ciboulette
1 botte

 **Sel, poivre**

☻☻☻☻

⏱

Préparation : 15 min
Cuisson : 40 min

• Coupez les **poireaux** en trois dans la longueur, puis en deux dans l'épaisseur. Lavez-les sous un filet d'eau froide et mettez-les à cuire 40 min au cuit-vapeur.

• Mélangez les **yaourts** avec la **moutarde**, la **ciboulette** hachée et le **vinaigre**. Salez, poivrez et dégustez les **poireaux** tièdes, accompagnés de la sauce.

SAUMON MARINÉ AU CITRON ET MENTHE

223 Kcal/pers.

—

Sans lactose

—

Sans gluten

Filet de saumon
400 g (sans peau ni arêtes)

Citrons
x 2

Menthe
10 feuilles

Huile d'olive
2 cuil. à soupe

 **Sel, poivre**

👤👤👤👤

② **2**

Préparation : 10 min
Cuisson : 5 min

- Taillez le **saumon** en très fines tranches et répartissez-les sur des petites assiettes individuelles.

- Ajoutez le jus des **citrons**, l'**huile d'olive** et la **menthe**. Salez, poivrez, laissez mariner 5 min et dégustez.

ASPERGES MIMOSA

272 Kcal/pers.

—

Veggie

—

Sans gluten

Asperges vertes
x 20

Œufs
x 2

Cornichons
x 16

Cerfeuil
1 botte

Câpres
80 g

 **Sel, poivre**

👤👤👤👤

🕐

Préparation : 10 min
Cuisson : 20 min

• Coupez le **cerfeuil** aux ciseaux. Hachez les **cornichons**. Faites cuire les **œufs** 10 min à l'eau bouillante et épluchez-les.

• 15 min avant de déguster, équeutez et faites cuire les **asperges** 10 min à la vapeur. Posez-les dans un plat, ajoutez les **câpres**, le **cerfeuil** et les **cornichons**. Râpez les **œufs** sur le dessus. Salez poivrez et dégustez tiède.

TOMATES AU THON À LA VAPEUR

73 Kcal/pers.

—

Vapeur

—

Sans gluten

Tomates
x 4

Olives noires
x 16 dénoyautées

Thym séché
2 cuil. à café

Fromage frais
150 g

Thon au naturel
1 boîte

  Sel, poivre

 1 filet d'huile d'olive

Préparation : 20 min
Cuisson : 5 min

• Coupez les **tomates** en deux et évidez-les.
Mélangez le **fromage** avec le **thon**,
les **olives** hachées et le **thym**. Salez, poivrez.
• Garnissez l'intérieur des **tomates**
de la préparation et faites-les cuire 5 min
au cuit-vapeur. Dégustez chaud ou froid,
avec un filet d'**huile d'olive**.

MAQUEREAU AU VIN BLANC ET TOMATES

90 Kcal/pers.

—

Sans gluten

—

Sans lactose

Filets de maquereau
x 4

Vin blanc
40 cl

Tomates cerise
200 g

Bouquet garni
x 1

Anis étoilé
x 3

Préparation : 10 min
Cuisson : 25 min
Réfrigération : 1 nuit

- Préchauffez le four à 180°C. Disposez les **maquereaux** dans un grand plat à gratin. Ajoutez les **tomates** coupées en deux.
- Faites cuire le **vin blanc** 10 min à feu moyen avec l'**anis**, le **bouquet garni** et 10 cl d'eau. Versez le liquide bouillant sur les **maquereaux**. Enfournez 15 min. Laissez refroidir 1 nuit et dégustez froid.

TARTARE DE DAURADE À L'ANANAS

252 Kcal/pers.

—

Sans gluten

—

Sans lactose

Ananas Victoria
x 2 (petits)

Daurade
4 filets (sans peau)

Citrons verts
x 2

Coriandre
1 botte

Huile d'olive
2 cuil. à soupe

Sel, poivre

👤👤👤👤

🕐 **Préparation : 20 min**

• Coupez les **ananas** en 2. Récupérez la chair et taillez-la en petits morceaux. Découpez la **daurade** en cubes. Pressez le jus des **citrons**. Lavez et hachez la **coriandre**. Mélangez l'ensemble des ingrédients, salez, poivrez, dressez dans les **demi-ananas** et dégustez.

SASHIMI DE MELON ET SAUMON

330 Kcal/pers.

—

Sans lactose

Melon
x 1 (petit)

Pavés de saumon
x 3 (sans peau, environ 450 g)

Sauce soja
4 cuil. à soupe

Wasabi
1 cuil. à café

Sel de mer gris

👤👤👤👤

🕐

Préparation : 10 min
Réfrigération : 20 min

• Recouvrez le **saumon** de sel de mer gris et mettez-le 20 min au frais. Rincez les **pavés** à l'eau froide et coupez-les en morceaux.

• Épluchez le **melon** et coupez-le en morceaux de taille identique aux morceaux de **saumon**. Dressez l'ensemble dans un plat.

• Mélangez le **wasabi** avec la **sauce soja**, nappez et dégustez.

CARPACCIO DE SAINT-JACQUES

158 Kcal /pers.

—

Sans gluten

—

Sans lactose

Saint-jacques
x 12 (sans corail)

Concombre
x 1 (environ 200 g)

Framboises
x 16

Citrons verts
x 2

Huile d'olive
2 cuil. à soupe

 **Sel, poivre**

👤👤👤👤

🕐

Préparation : 15 min
Marinade : 5 min

• Lavez et découpez le **concombre** en fines tranches.

• Découpez les **saint-jacques** en tranches et mélangez-les avec le zeste et le jus des **citrons**, l'**huile d'olive** et les **framboises** écrasées. Salez, poivrez.

• Laissez mariner 5 min. Dressez les **saint-jacques** et le **concombre** en rosace.

HUÎTRES, MANDARINE ET BASILIC

137 Kcal/pers.

—

Sans lactose

Huîtres
x 24 (petites)

Mandarines
x 6

Basilic
24 feuilles

Sauce soja
24 gouttes

Huile d'olive
24 gouttes

 24 pincées de poivre

Sel de mer gris

👥👥👥👥

Préparation : 10 min
Cuisson : 5 min

• Préchauffez le four à 180°C. Pressez le jus des **mandarines**. Réservez.

• Enfournez les **huîtres** 5 min. Laissez tiédir avant de les ouvrir. Videz-les de leur eau et disposez-les sur un lit de **sel**. Réservez au frais.

• 2 min avant de servir, posez une feuille de **basilic** sur chaque **huître**. Ajoutez le jus de **mandarine**, l'**huile d'olive**, **sauce soja** et le **poivre**.

HUÎTRES, MANGUE ET CORIANDRE

108 Kcal/pers.

—

Sans lactose

Huîtres
x 24 (petites)

Mangue
x ½ (pas trop mûre)

Échalote
x 1 (ou 2 petites)

Coriandre
6 branches

Vinaigre
24 gouttes

Sel de mer gris

24 gouttes d'huile d'olive

Préparation : 10 min
Cuisson : 5 min

• Préchauffez le four à 180°C. Taillez l'**échalote** et la **mangue** en petits dés. Lavez et hachez la **coriandre**. Enfournez les **huîtres** 5 min. Laissez tiédir avant de les ouvrir. Videz-les de leur eau et disposez-les sur un lit de **sel**. Réservez au frais.

• Mélangez la **mangue**, l'**échalote**, l'**huile d'olive**, le **vinaigre** et la **coriandre** et répartissez sur les **huîtres**.

CÉSAR SALADE

351 Kcal/pers.

—

Vapeur

Salades sucrine
x 4

Blanc de poulet
600 g

Parmesan râpé
4 cuil. à soupe

Fromage blanc
4 cuil. à soupe

Pain suédois
2 tranches

 Sel, poivre

🕐

Préparation : 10 min
Cuisson : 20 min

• Faites cuire les blancs de **poulet** 20 min au cuit-vapeur ou à l'eau bouillante et découpez-les en morceaux. Lavez et essorez la **salade**.
• Cassez le **pain suédois** en morceaux.
• Mélangez tous les ingrédients dans un saladier. Salez, poivrez et dégustez.

SALADE D'AUBERGINES

79 Kcal/pers.

—

Veggie

—

Sans gluten

Aubergines
x 2 (moyennes)

Tomates
x 3

Olives noires
x 20 (dénoyautées)

Basilic
1 botte (50 g)

Huile d'olive
2 cuil. à soupe

Sel, poivre

Préparation : 10 min
Cuisson : 40 min

• Faites cuire les **aubergines** entières 40 min au cuit-vapeur et laissez-les refroidir.

• Découpez les **tomates** et les **olives** en morceaux, puis lavez et hachez le **basilic**. Fendez les **aubergines**, récupérez la pulpe avec une cuillère et mélangez-la au reste des ingrédients. Salez, poivrez et dégustez.

SALADE DE BŒUF, MÂCHE ET CURCUMA

192 Kcal/pers.

—

Vapeur

Filet de bœuf
400 g

Mâche
150 g

Curcuma
1 cuil. à soupe

Yaourt à la grecque
x 1

 Sel, poivre

👤👤👤👤

🕐

Préparation : 15 min
Cuisson : 8 min

- Lavez et séchez la **mâche**.
- Faites cuire le **filet de bœuf** 8 min au cuit-vapeur. Laissez tiédir, puis découpez la viande en fines tranches et mélangez-les avec la **mâche**, le **yaourt** et le **curcuma**. Salez, poivrez et dégustez.

SALADE DE BROCOLIS AUX FRUITS SECS

60 Kcal/pers.

—

Vapeur

—

Veggie

Brocolis
500 g

Abricots secs
x 8

Cerneaux de noix
x 8

Amandes effilées
2 cuil. à soupe

Noisettes
x 16

Sel, poivre

1 filet d'huile de noisette

Préparation : 15 min
Cuisson : 10 min

• Faites cuire les **brocolis** coupés en morceaux 10 min au cuit-vapeur.

• Mélangez les **brocolis** dans un saladier avec les **amandes**, les **abricots** coupés en morceaux, les **noix** et les **noisettes** concassées. Salez, poivrez et dégustez avec un filet d'**huile de noisette**.

SALADE DE LENTILLES ET CREVETTES

230 Kcal/pers.

—

Sans lactose

—

Sans gluten

Lentilles vertes
250 g

Crevettes roses cuites
x 16 (décortiquées)

Estragon
1 botte

Clémentines
x 4

Huile d'olive
2 cuil. à soupe

Sel, poivre

Préparation : 15 min
Cuisson : 25 min

• Faites cuire les **lentilles** 25 min dans une grande quantité d'eau. Égouttez-les dans un saladier et laissez refroidir.

• Ajoutez les **crevettes** coupées en morceaux, le jus des **clémentines**, l'**estragon** lavé et haché et l'**huile d'olive**. Salez, poivrez, mélangez et servez.

SALADE D'ANANAS AU POULET

334 Kcal/pers.

—

Sans gluten

—

Vapeur

Blancs de poulet
x 3

Ananas Victoria
x 1

Roquette
150 g

Yaourt à la grecque
x 1

Vinaigre de cidre
1 cuil. à soupe

 **Sel, poivre**

♟♟♟♟

⏱
**Préparation : 15 min
Cuisson : 20 min**

• Lavez et essorez la **roquette**. Faites cuire les blancs de **poulet** 20 min au cuit-vapeur ou à l'eau bouillante. Une fois refroidis, découpez-les en morceaux.

• Retirez la peau de l'**ananas** et découpez-le en cubes. Mélangez tous les ingrédients dans un saladier. Salez, poivrez et dégustez immédiatement.

SALADE DE BŒUF À LA FRAMBOISE

191 Kcal/pers.

—

Sans gluten

filet de bœuf ou poire
400 g

Roquette
120 g

Framboises
125 g

Vinaigre balsamique
2 cuil. à soupe

Yaourt à la grecque
x 1

 **Sel, poivre**

Préparation : 20 min
Cuisson : 30 s

- Lavez et essorez la **roquette**. Coupez les **framboises** en deux.
- Détaillez le **bœuf** en cubes et saisissez-les 30 s dans une poêle brûlante sans matière grasse, en remuant constamment.
- Réunissez la **viande** et le reste des ingrédients dans un saladier. Salez, poivrez, mélangez et dégustez immédiatement.

SALADE DE VEAU ET MYRTILLES

160 Kcal/pers.

—

Sans gluten

Escalopes de veau
x 2

Myrtilles
125 g

Yaourt à la grecque
x 1

Roquette
120 g

Moutarde
1 cuil. à soupe

Sel, poivre

Préparation : 15 min
Cuisson : 5 min

- Lavez et essorez la **roquette**. Découpez les **escalopes** en petits morceaux et saisissez-les 1 min dans une poêle brulante sans matière grasse, en remuant constamment.

- Réunissez la **viande** et le reste des ingrédients dans un saladier. Salez, poivrez, mélangez et dégustez immédiatement.

POMMES ET CHÈVRE CHAUD

325 Kcal/pers.

—

Veggie

—

Sans gluten

Crottins de Chavignol
x 2

Pommes
x 2

Cerneaux de noix
x 12

Roquette
100 g

Miel liquide
2 cuil. à soupe

 Sel, poivre

 **1 filet d'huile de noix**

Préparation : 10 min
Cuisson : 15 min

• Préchauffez le four à 180°C. Épluchez et coupez les **pommes** en deux et évidez-les. Posez un **demi-crottin** sur chacune, recouvrez de **miel** et enfournez 15 min.

• Lavez et essorez la **roquette**, concassez les **noix**. Dressez les **crottins** chauds sur un lit de feuilles de **salade**, ajoutez les **noix** et dégustez avec un filet d'**huile de noix**.

SALADE DE POULPE

213 Kcal/pers.

—

Sans gluten

—

Sans lactose

Poulpe
x 1 (1 kg environ)

Coriandre
2 bottes

Citrons verts
x 2

Paprika
1 cuil. à soupe

Huile d'olive
2 cuil. à soupe

 Sel, poivre

👤👤👤👤

🕐

Préparation : 15 min
Cuisson : 20 min

• Pressez les **citrons**, lavez et hachez la **coriandre**.

• Mettez le **poulpe** dans une cocotte, recouvrez d'eau et portez à ébullition. Comptez 20 min et stoppez le feu. Laissez refroidir dans la cocotte.

• Découpez le **poulpe** en morceaux et mélangez-le au reste des ingrédients. Dégustez immédiatement.

TOMATES MOZZA EN CHAUD-FROID

175 Kcal/pers.

—

Veggie

—

Sans gluten

Tomates vertes
x 4

Mozzarella
150 g

Pignons de pin
2 cuil. à soupe

Basilic
2 bottes

Sel, poivre

1 filet d'huile d'olive

Préparation : 10 min
Cuisson : 10 min

• Préchauffez le four à 180°C. Lavez et coupez aux ciseaux le **basilic**.

• Coupez les **tomates** en deux et posez un morceau de **mozzarella** sur chaque moitié. Enfournez 10 min.

• Dressez les **tomates** dans un plat. Ajoutez le **basilic** et les **pignons**, salez, poivrez et dégustez tiède avec un filet d'**huile d'olive**.

CAROTTES RÂPÉES À LA CORIANDRE

47 Kcal /pers.

—

Veggie

—

Sans lactose

Carottes
3 (grosses, 450 g environ)

Clémentines
x 2

Sauce soja
3 cuil. à soupe

Coriandre
1 botte

 **Sel, poivre**

👤👤👤👤

🕐

Préparation : 15 min

• Lavez, séchez et coupez aux ciseaux la **coriandre**. Pressez le jus des **clémentines**.

• Râpez les **carottes** et mélangez-les au reste des ingrédients. Salez, poivrez et dégustez.

SALADE DE TOMATES AUX HERBES

94 Kcal/pers.

—

Veggie

—

Sans gluten

Tomates
x 9 (moyennes)

Basilic
1 botte

Estragon
1 botte

Petits-suisses
x 2

 Sel, poivre

👤👤👤👤

⏱ Préparation : 15 min

• Lavez, effeuillez et séchez les **herbes**. Mixez les ¾ des **herbes** avec les **petits-suisses** et 2 cl d'eau dans un blender.

• Mélangez cette sauce aux **tomates** coupées en morceaux. Ajoutez les **herbes** restantes. Salez, poivrez et dégustez.

SALADE DE CHOUX DE BRUXELLES

145 Kcal/pers.

—

Vapeur

—

Sans gluten

Choux de Bruxelles
x 24

Huile de noisette
1 cuil. à soupe

Noisettes
x 12

Viande des grisons
4 fines tranches

 **Sel, poivre**

👤👤👤👤

🕐

Préparation : 15 min
Cuisson : 10 min

- Coupez la **viande des grisons** en petites lanières. Hachez grossièrement les **noisettes**.
- Faites cuire les **choux de Bruxelles** 15 min à la vapeur. Mélangez-les avec la **viande des grisons** et les **noisettes**, arrosez d'**huile de noisette**, salez, poivrez et dégustez chaud ou froid.

SALADE DE MOULES

360 Kcal/pers.

—

Sans lactose

—

Sans gluten

Moules
3 l

Concombre
x ½ (250 g)

Petits pois
300 g

Mâche
150 g

 Sel, poivre

1 filet d'huile d'olive

♟♟♟♟

⏱

Préparation : 20 min
Cuisson : 15 min

• Lavez et essorez la **mâche**. Faites ouvrir les **moules** à feu vif en remuant. Décortiquez-les et filtrez le jus de cuisson.

• Mixez les ¾ des **petits pois**, l'**huile d'olive**, la moitié de **concombre** et le jus de cuisson.

• Mélangez l'ensemble dans un saladier avec le reste du **concombre** émincé, des **petits pois** et la **mâche**. Salez et poivrez.

TABOULÉ DE CHOU-FLEUR

43 Kcal/pers.

—

Vapeur

—

Veggie

Chou-fleur
x 1

Tomates
x 2

Menthe
1 botte

Concombre
x ½ (250 g)

  Sel, poivre

♟♟♟♟

🕐

Préparation : 15 min
Cuisson : 10 min

- Lavez, séchez et hachez la **menthe**.
- Retirez les parties dures du **chou-fleur** et râpez-les à l'aide d'une râpe à main. Déposez le **chou-fleur** râpé sur une feuille de papier cuisson humide et faites cuire 10 min au cuit-vapeur.
- Mélangez le couscous de **chou-fleur** avec le **concombre** et les **tomates** coupés en petits dés et la **menthe**. Salez, poivrez et dégustez.

GASPACHO DE PETITS POIS

92 Kcal/pers.

—

Veggie

—

Sans lactose

Petits pois
500 g (surgelés ou frais)

Concombre
400 g

Menthe
1 botte

Huile d'olive
12 gouttes

 Sel, poivre

Préparation : 20 min
Cuisson : 5 min

- Lavez, séchez et hachez la **menthe**.
- Faites cuire les **petits pois** 5 min dans l'eau bouillante.
- Mixez les **petits pois** avec les **concombres** coupés en cubes, 10 cl d'**eau** et l'**huile d'olive** dans un blender. Salez, poivrez, ajoutez la **menthe** et dégustez glacé.

GASPACHO D'ARTICHAUT AU CONCOMBRE

130 Kcal/pers.

—

Veggie

—

Sans lactose

Fonds d'artichaut
x 8

Concombre
400 g

Huile d'olive
2 cuil. à soupe

  Sel, poivre

☗☗☗☗

Préparation : 10 min
Cuisson : 30 min

• Détaillez le **concombre** en petits dés. Faites cuire les **fonds d'artichaut** 30 min à l'eau bouillante salée. Égouttez et laissez refroidir.

• Mixez les **fonds d'artichaut** avec la moitié des **concombres**, 5 cl d'**eau** et l'**huile d'olive**.

• Salez, poivrez et dressez dans des assiettes creuses. Ajoutez les dés de **concombre** restants et dégustez glacé.

GASPACHO MELON, TOMATES ET MENTHE

110 Kcal/pers.

—

Sans gluten

—

Sans lactose

Melon
x 1

Tomates
x 4 (moyennes)

Menthe
1 botte

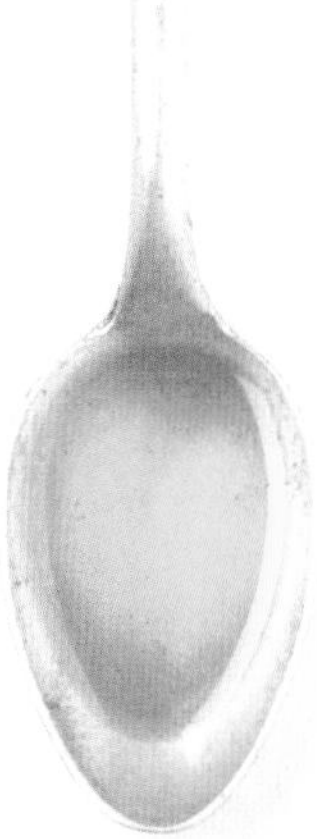

Huile d'olive
2 cuil. à soupe

Sel, poivre

Préparation : 10 min

- Lavez et hachez **la menthe** (réservez quelques petites feuilles). Coupez, évidez et découpez les **tomates**. Épluchez et évidez le **melon**.
- Mixez le **melon**, les **tomates**, la **menthe**, 2 cl d'eau et l'**huile d'olive** dans un blender. Salez, poivrez et réservez au frais.
- Dressez dans des assiettes creuses, ajoutez les feuilles de **menthe** et dégustez.

GASPACHO DE PASTÈQUE À LA TOMATE

98 Kcal/pers.

—

Veggie

—

Sans gluten

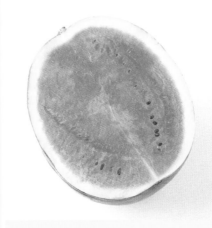
Pastèque
850 g

Tomates cerise
250 g

Menthe
1 botte

 Sel, poivre

1 filet d'huile d'olive

Préparation : 10 min

• Lavez et hachez la **menthe** (réservez quelques petites feuilles). Coupez les **tomates** en 2.

• Mixez la **pastèque** avec les ¾ des **tomates**, 2 cl d'**eau** et la **menthe** dans un blender. Salez, poivrez et réservez au frais.

• Dressez le gaspacho dans des assiettes creuses. Ajoutez le reste des **tomates**, les feuilles de **menthe** et un filet d'**huile d'olive**.

GASPACHO MELON, FETA ET ORIGAN

175 Kcal/pers.

—

Veggie

—

Sans gluten

Melons
x 2

Origan séché
4 cuil. à café

Feta
100 g

 Sel, poivre

 1 filet d'huile d'olive

Préparation : 10 min

- Épluchez et videz les **melons**. Taillez l'équivalent de quatre cuil. à soupe de chair en petits cubes. Écrasez la **feta** à la fourchette.
- Mixez la chair restante du **melon** avec 5 cl d'**eau** et l'**origan**. Salez, poivrez et réservez au frais.
- Dressez le gaspacho dans des assiettes creuses. Ajoutez la **feta**, les dés de **melon** et un filet d'**huile d'olive**. Dégustez frais.

BOUILLON DE LÉGUMES AU SAUMON

167 Kcal/pers.

—

Sans lactose

—

Sans gluten

Pavés de saumon
x 2 (sans peau)

Petits pois
150 g

Céleri rave
300 g

Carottes
300 g

Champignons de Paris
100 g

 **Sel, poivre**

♟♟♟♟

⏱

Préparation : 15 min
Cuisson : 45 min

- Épluchez et coupez les **carottes** et le **céleri** en dés. Faites-les cuire 45 min à feu doux dans 1,5 l d'eau. Ajoutez les **petits pois** à mi-cuisson.
- Dressez ensemble les **champignons** et le **saumon** coupés en petits morceaux dans des bols individuels. Versez le bouillon brûlant et laissez infuser 1 min. Dégustez.

THÉ VERT, SAUMON, PAMPLEMOUSSE

180 Kcal/pers.

—

Sans lactose

—

Sans gluten

Filet de saumon
250 g

Pamplemousses roses
x 2

Thé vert au jasmin
40 cl froid

Kiwis
x 2

Coriandre
12 branches

 **Sel gris marin**

♟♟♟♟

⌚

Préparation : 20 min
Réfrigération : 40 min

- Recouvrez le **saumon** de **gros sel gris**. Placez-le 40 min au frais.
- Pressez les **pamplemousses** pour obtenir 20 cl de jus. Mélangez-le avec le thé.
- Lavez le **saumon** à l'eau froide et coupez-le en cubes. Répartissez-les dans 4 bols avec les **kiwis** coupés en morceaux et la **coriandre** coupée aux ciseaux. Versez le mélange thé/jus et dégustez.

BOUILLON DE BŒUF À LA CITRONNELLE

185 Kcal /pers.

—

Sans lactose

Filet de bœuf
400 g

Courgette
x 1

Brocolis
100 g

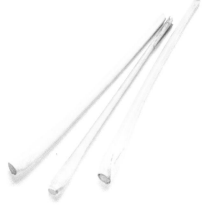

Citronnelle
2 tiges

Chou chinois
400 g

 1 filet de sauce soja

👥👥👥👥

🕐

Préparation : 15 min
Cuisson : 40 min

• Faites cuire 40 min à feu doux dans une cocotte le **chou chinois**, la **citronnelle** émincée, les **brocolis** et la **courgette** coupée en rondelles dans 1,5 l d'eau.

• Découpez la **viande** en petits cubes et répartissez-les dans des grands bols. Versez le bouillon brûlant, patientez 1 min et dégustez.

SOUPE DE BUTTERNUT AUX NOIX

80 Kcal /pers.

—

Veggie

—

Sans lactose

Butternut
x 1 (env 600 g)

Carottes
x 2

Noix
8 cerneaux

Oignon doux
x 1

Huile de noix
1 cuil. à soupe

Sel, poivre

👤👤👤👤

🕐

Préparation : 20 min
Cuisson : 45 min

• Épluchez et coupez les légumes en gros morceaux. Mettez-les dans une cocotte, mouillez d'eau à 1 cm au-dessus du niveau et laissez cuire 45 min à feu doux. Mixez avec un robot plongeant.
• Salez, poivrez et dressez dans des assiettes creuses. Ajoutez les **noix** concassées et quelques gouttes d'**huile de noix** et dégustez.

BOUILLON DE BŒUF AU THÉ

138 Kcal/pers.

—

Sans lactose

Filet de bœuf
200 g

Basilic
20 feuilles

Thé Earl Grey
40 cl chaud

Concombre
100 g

Asperges vertes
x 8

Sel gris marin

♟♟♟♟

Préparation : 10 min
Cuisson : 2 min
Réfrigération : 40 min

• Recouvrez le **bœuf** de gros **sel gris marin**. Placez-le 40 min au frais.

• Équeutez et coupez les **asperges** en petits cubes. Coupez le **concombre** en petits dés.

• Rincez le **bœuf** à l'eau froide. Coupez-le en cubes et répartissez-les dans des bols avec les **asperges**, le **concombre** et le **basilic** haché. Versez le **thé** brûlant, attendez 1 min et servez.

BOUILLON BŒUF CAROTTES

130 Kcal/pers.

—

Sans gluten

—

Sans lactose

Carottes
500 g

Filet de bœuf
250 g

Estragon
1 botte

Navets
250 g

Sel, poivre

👤👤👤👤

Préparation : 10 min
Cuisson : 45 min

• Faites cuire à feu doux pendant 45 min les **carottes** et les **navets** coupés en petits cubes réguliers dans 1l d'eau. Éteignez le feu et ajoutez le **bœuf** coupé en petits morceaux.
• Laissez reposer 5 min dans le bouillon chaud. Salez, poivrez et ajoutez l'**estragon** coupé aux ciseaux. Dégustez.

BOUILLON RATATOUILLE ET CHORIZO

53 Kcal /pers.

—

Sans lactose

—

Sans gluten

Poivron
x 1

Courgettes
x 2

Chorizo
4 tranches fines

Tomates
x 2

Basilic
1 botte

 **Sel, poivre**

☂☂☂☂

⏱

Préparation : 25 min
Cuisson : 45 min

• Videz et découpez les légumes en petits dés. Mettez-les à cuire 45 min à feu doux dans une cocotte avec 1,5 l d'eau.

• Lavez et hachez le **basilic**, coupez le **chorizo** en lanières. Mélangez le **basilic** et le **chorizo** au bouillon. Salez, poivrez et dégustez.

BOUILLON DE VOLAILLE AU FENOUIL

138 Kcal/pers.

—

Sans lactose

—

Sans gluten

Escalopes de dinde
x 3 (150 g chacune)

Tomates cerise
x 20

Aneth
1 botte

Graines de fenouil
1 cuil. à soupe

Fenouil
2 bulbes

 **Sel, poivre**

👤👤👤👤

🕐

Préparation : 20 min
Cuisson : 1h

• Coupez les **escalopes** en petits morceaux. Faites-les cuire dans une cocotte 1h à feu doux avec le **fenouil** coupé en morceaux dans 1,5 l d'eau.

• Ajoutez les **tomates cerise** et les **graines de fenouil** 10 min avant la fin de la cuisson. Salez, poivrez et dressez dans des bols. Ajoutez l'**aneth**, laissez infuser 1 min et dégustez.

BOUILLON DE SAINT-JACQUES AU CÉLERI

44 Kcal / pers.

—

Sans lactose

—

Sans gluten

Coquilles Saint-Jacques
x 12

Céleri branche
x 1

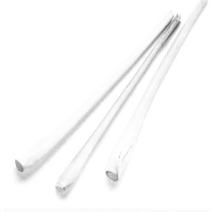

Pamplemousses roses
x 2

Pousses d'épinards
100 g

Citronnelle
2 tiges

 **Sel, poivre**

👤👤👤👤

🕐

Préparation : 20 min
Cuisson : 25 min

• Épluchez et taillez le **céleri** en rondelles et émincez la **citronnelle**. Mettez le tout à cuire 25 min à feu doux dans 1,5 l d'eau. Pressez et filtrez le jus des **pamplemousses**.

• Équeutez et lavez les **épinards**. Ajoutez-les au bouillon avec les **saint-jacques**. Stoppez le feu et laissez tiédir. Ajoutez le jus de **pamplemousse**, salez, poivrez et dégustez.

SOUPE THAÏE AU POULET ET CREVETTES

600 Kcal/pers.

—

Sans lactose

—

Sans gluten

Blancs de poulet
x 2

Champignons de Paris
500 g

Crevettes crues
x 12 (décortiquées)

Citronnelle
2 tiges

Lait de coco
80 cl

 **Sel, poivre**

👤👤👤👤

🕐

Préparation : 20 min
Cuisson : 46 min

• Coupez le **poulet** et les **champignons** en morceaux et émincez la **citronnelle**. Mettez le tout à cuire 45 min à feu doux dans une cocotte avec le **lait de coco**.

• Ajoutez les **crevettes** et laissez cuire 1 min de plus. Salez, poivrez. Dégustez nature ou avec de la coriandre fraîche.

CONSOMMÉ DE POISSON AU THÉ VERT

140 Kcal/pers.

—

Sans gluten

—

Sans lactose

Cabillaud
350 g

Olives noires
x 12 dénoyautées

Estragon
1 botte

Clémentines
x 4

Thé vert au jasmin
50 cl

Préparation : 10 min
Cuisson : 5 min

• Faites cuire le **cabillaud** 5 min à la vapeur ou à l'eau bouillante. Répartissez-le dans des bols individuels, ajoutez les **olives** coupées en morceaux et l'**estragon** haché.

• Mélangez le jus des **clémentines** filtré avec le **thé** froid. Versez dans des bols et dégustez.

BOUILLON DE CREVETTES AU GINGEMBRE

64 Kcal /pers.

—

Sans lactose

Chou chinois
400 g

Crevettes crues
x 24 décortiquées

Gingembre
50 g

Graines d'anis
2 cuil. à soupe

Sauce soja
4 cuil. à soupe

Préparation : 20 min
Cuisson : 46 min

• Faites cuire dans une cocotte le **chou chinois** émincé, le **gingembre** coupé en fines rondelles et les **graines d'anis** 45 min à feu doux dans 1,5 l d'eau.

• Ajoutez les **crevettes** et la **sauce soja**. Laissez cuire 1 min de plus et dégustez.

CRÈME D'ÉPINARDS, COCO ET SAUMON

435 Kcal /pers.

—

Sans lactose

—

Sans gluten

Pousses d'épinards
300 g

Lait de coco
80 cl

Céleri
150 g

Saumon fumé
4 tranches

 Sel, poivre

♀♂♀♂

🕐

Préparation : 20 min
Cuisson : 20 min

• Équeutez et lavez les **épinards** et réservez une vingtaine de petites feuilles. Faites-les cuire 20 min à feu doux dans une cocotte avec le **lait de coco**, le céleri coupé en morceaux et 50 cl d'eau.

• Mixez le tout à l'aide d'un robot plongeant. Salez, poivrez et dressez dans des bols individuels. Ajoutez les **épinards** frais et le **saumon** coupés en petits morceaux. Dégustez.

MINESTRONE DE LÉGUMES

64 Kcal/pers.

—

Veggie

—

Sans gluten

Petits pois
150 g

Tomates cerise
x 8

Céleri rave
300 g

Carottes
300 g

Haricots verts
100 g

Sel, poivre

1 filet d'huile d'olive

Préparation : 20 min
Cuisson : 50 min

• Épluchez et coupez le **céleri** et les **carottes** en petits dés et détaillez les **haricots verts** en petits morceaux. Faites cuire le tout 45 min à feu doux dans 1,5 l d'eau.

• Ajoutez les **petits pois** et les **tomates** coupées en deux et laissez cuire 5 min de plus. Salez, poivrez et dégustez nature ou avec quelques gouttes d'**huile d'olive**.

BOUILLON DE POULET AU GINGEMBRE

282 Kcal/pers.

—

Sans lactose

Blancs de poulet
x 3

Tomates cerise
250 g

Gingembre frais
80 g

Basilic
1 botte

Sauce soja
4 cuil. à soupe

Préparation : 20 min
Cuisson : 45 min

• Faites cuire dans une cocotte le **poulet** coupé en morceaux, le **gingembre** épluché et râpé et les **tomates** coupées en deux 45 min à feu doux dans 1,5 l d'eau.

• Lavez, effeuillez et hachez le **basilic**. Ajoutez-le au bouillon avec la **sauce soja**. Mélangez et dégustez.

SOUPE AU CHOU AU HADDOCK

175 Kcal/pers.

—

Sans lactose

—

Sans gluten

Haddock
1 filet (350 g)

Chou vert frisé
500 g

Oignon doux
x 1

Bouquet garni
x 1

Carottes
x 2

 **Sel, poivre**

Préparation : 15 min
Cuisson : 1 h

• Faites cuire dans une cocotte l'**oignon** émincé, le **chou** coupé en morceaux, les **carottes** coupées en rondelles et le **bouquet garni** 55 min à feu doux dans 1,5 l d'eau.

• Ajoutez le **haddock** coupé en morceaux et laissez cuire 5 min de plus. Salez, poivrez et dégustez.

SAINT-JACQUES AU BOUILLON DE VANILLE

52 Kcal / pers.

—

Sans lactose

—

Sans gluten

Coquilles Saint-Jacques
x 12 (avec ou sans corail)

Vanille
3 gousses

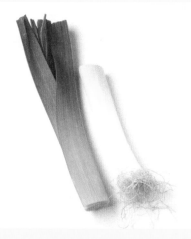

Poireaux
x 2 (petits)

Pamplemousse rose
x 1

 Poivre

Préparation : 15 min
Cuisson : 23 min

• Fendez et grattez la **vanille**, réservez les graines. Pressez le jus du **pamplemousse** et filtrez-le pour obtenir 10 cl.

• Faites cuire les **poireaux** émincés et lavés avec la **vanille** 15 min à feu doux dans 1,5 l d'eau. Ajoutez les **saint-jacques** en morceaux et faites cuire 8 min de plus. Servez dans des bols, versez le jus de **pamplemousse** et les graines de vanille.

BOUILLON AVOCAT ET POIRE

162 Kcal/pers.

—

Veggie

—

Sans gluten

Poires
x 2

Avocat
x 1

Thé vert au citron
50 cl froid

Basilic
16 feuilles

Pamplemousses roses
x 2

 Poivre

Préparation : 20 min

• Pressez les **pamplemousses** pour obtenir 20 cl de jus filtré et mélangez-le avec le **thé** froid.

• Au dernier moment, répartissez les **poires** et l'**avocat** en morceaux avec le **basilic** coupé aux ciseaux dans des bols individuels. Ajoutez le mélange **thé** et jus de **pamplemousse**, poivrez légèrement et dégustez.

CRÈME D'ARTICHAUT AUX ŒUFS MOLLETS

217 Kcal/pers.

—

Sans gluten

Fonds d'artichaut
x 8

Œufs
x 4

Viande des grisons
4 tranches

Petits-suisses
x 2

 **Sel, poivre**

Préparation : 15 min
Cuisson : 35 min

• Faites cuire les **fonds d'artichaut** 30 min à l'eau bouillante salée. Mixez-les avec les **petits-suisses** et 5 cl d'eau. Salez, poivrez.

• Émincez la **viande des grisons**. Faites cuire les **œufs** 5 min précises à l'eau bouillante puis écalez-les dans l'eau froide.

• Dressez la crème dans des assiettes, ajoutez la **viande des grisons** et les œufs mollets.

BOUILLON DE BŒUF AUX CHAMPIGNONS

117 Kcal/pers.

—

Sans gluten

—

Sans lactose

Bœuf
200 g (filet ou poire)

Champignons de Paris
150 g

Navets
200 g

Carottes
250 g

Thym
1 cuil. à soupe

Sel, poivre

Préparation : 15 min
Cuisson : 45 min

• Faites cuire dans une cocotte les **navets**, les **carottes** coupées en petits dés et le **thym** 45 min à feu doux dans 1,5 l d'eau.

• Lavez et coupez les **champignons** et le **bœuf** en petits morceaux et répartissez-les dans des bols individuels. Versez le bouillon brûlant, laissez infuser 1 min et dégustez.

CRÈME D'ÉPINARDS, CÉLERI ET CREVETTES

217 Kcal/pers.

—

Sans lactose

—

Sans gluten

Céleri branche
2 branches

Lait de coco
40 cl

Coriandre
12 brins

Crevettes crues
16 (décortiquées)

Épinards frais
100 g

 Sel, poivre

♀♀♀♀

Préparation : 10 min
Cuisson : 47 min

• Faites cuire dans une cocotte les **épinards** et le **céleri** coupé en morceaux 45 min à feu doux dans 40 cl de **lait de coco** et 10 cl d'eau. Mixez le tout à l'aide d'un robot plongeant, salez, poivrez.
• Ajoutez les **crevettes** et laissez cuire 2 min de plus. Dressez la crème dans des bols individuels, ajoutez la **coriandre** et dégustez.

FRUITS DE MER AU THÉ VERT

131 Kcal/pers.

—

Sans gluten

—

Sans lactose

Crevettes roses cuites
x 12

Huîtres
x 12 (moyennes)

Tomates cerise
x 8

Thym citron
4 branches

Thé vert au jasmin
50 cl

Préparation : 15 min
Cuisson : 5 min

• Enfournez les **huîtres** 5 min à 180°C, ouvrez-les et répartissez-les dans des bols. Mélangez leur eau avec le **thé** et le **thym**. Faites chauffer et laissez infuser 5 min, filtrez et laissez refroidir.

• Épluchez et répartissez les **crevettes** et les **tomates** coupées en morceaux dans les bols. Versez le **thé** et dégustez.

BOUILLON DE CANARD À LA SAUGE

66 Kcal/pers.

—

Sans lactose

Aiguillettes de canard
x 4

Champignons de Paris
600 g

Sauge
18 feuilles

Sauce soja
4 cuil. à soupe

Préparation : 15 min
Cuisson : 30 min

• Lavez et émincez les **champignons** et la **sauge**. Mettez l'ensemble dans une casserole, ajoutez 1,5 l d'eau et faites cuire 30 min à feu doux.

• Répartissez le **canard** émincé en fines lanières et la **sauce soja** dans des bols individuels. Versez le bouillon brûlant, laissez infuser 1 min et dégustez.

SAUCE TARTARE

44 Kcal/pers.

———

À servir avec : Poissons pochés
ou à la vapeur
Viandes et poissons grillés
Chou rouge ou blanc râpé
Légumes vapeur
Volaille pochée ou à la vapeur
Bœuf haché cru
Crudités en bâtonnets
Omelette, Salades

Estragon
1 botte

Moutarde
1 cuil. à soupe

Ciboulette
1 botte

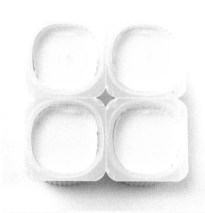

Petits-suisses
x 2

Câpres
60 g

 **Sel, poivre**

☆☆☆☆

Préparation : 15 min

• Mélangez les **petits-suisses**, la **moutarde** et les **câpres** hachées grossièrement.

• Ajoutez l'**estragon** et la **ciboulette** coupés aux ciseaux. Salez, poivrez et servez.

SAUCE VIERGE

94 Kcal/pers.

—

À servir avec : Viandes, poissons,
volailles grillés
Légumes à la vapeur
Salades et crudités
Poissons, crustacés, volailles
à la vapeur
Haricots blancs ou lentilles

Tomates
x 2

Concombre
x 1 (200 g)

Basilic
1 botte

Sauce soja
4 cuil. à soupe

Oranges
x 4

 **Sel, poivre**

👥👥👥👥

🕐
Préparation : 15 min

• Pressez le jus des **oranges**. Lavez et découpez
le **concombre** et les **tomates** en petits cubes.
Effeuillez et coupez aux ciseaux le **basilic**.
• Mélangez tous les ingrédients avec le jus
d'**orange** et la **sauce soja**. Salez, poivrez
et servez.

SAUCE AÏOLI

42 Kcal/pers.

—

À servir avec : Légumes
à la vapeur ou à l'eau
Viandes, poissons ou volailles
grillés
Poissons, crustacés ou volailles
à la vapeur
Pâtes ou riz complets, Brochettes
Pommes de terre en robe
des champs

Ail
15 gousses

Safran
1 dose en poudre

Petits-suisses
x 2

 Sel, poivre

Préparation : 15 min
Cuisson : 30 min

• Épluchez et retirez le germe des gousses d'**ail**. Faites-les cuire environ 30 min à feu doux dans 20 cl d'eau (elles doivent s'écraser à la fourchette). Éteignez le feu, laissez tiédir.

• Ajoutez le **safran** et les **petits-suisses**. Mixez le tout à l'aide d'un robot plongeant. Salez, poivrez et servez.

SAUCE MARCHAND DE VIN

108 Kcal/pers.

À servir avec : Viandes grillées, poissons, volailles grillés
Œufs pochés ou durs
Légumes à la vapeur
Fruits de mer
Chou de Bruxelles à la poêle
Tofu

Échalotes
x 6

Vin rouge
50 cl

Ail
2 gousses

Bouquets garnis
x 2

Bouillon
30 cl

 Sel, poivre

Préparation : 15 min
Cuisson : 1h

- Épluchez et émincez les **échalotes** et l'**ail** et faites-les cuire dans une cocotte avec le **vin rouge**, le bouillon et les **bouquets garnis**.
- Laissez réduire aux trois quarts à feu doux jusqu'à ce que la sauce épaississe (environ 1h). Salez, poivrez et servez chaud.

SAUCE RAVIGOTE

109 Kcal/pers.

———

À servir avec : Fonds d'artichaut
Salsifis en boîte
Poulet poché
Quenelles à la vapeur
Cœur de laitue ou endives
Rôtis
Salade de tomates
Cœur de laitue
Viandes, poissons grillés

Moutarde forte
1 cuil. à soupe

Œufs
2 durs

Persil
1 botte

Petits-suisses
x 3

Cornichons
x 16

 Sel, poivre

Préparation : 15 min

• Lavez, effeuillez et coupez aux ciseaux le **persil**. Mélangez-le avec les **petits-suisses**, les **cornichons** coupés en morceaux, les **œufs durs** écrasés et la **moutarde**.

SAUCE BOLOGNAISE

123 Kcal/pers.

À servir avec :
Légumes à la vapeur
Cœurs de palmier
Pâtes complètes
Émincé de chou vert, chou-fleur
Chou de Bruxelles
Courgettes en rondelles

Tomates
500 g (mûres)

Escalopes de dinde
x 2 (150 g chacune)

Oignon doux
x 1

Concentré de tomates
2 cuil. à soupe

Thym séché
1 cuil. à soupe

Sel, poivre

Préparation : 15 min
Cuisson : 45 min

• Coupez les **escalopes de dinde** en cubes et les **tomates** et l'**oignon** en petits morceaux. Faites-les cuire dans une cocotte avec le **concentré de tomates** et le thym 45 min à feu doux dans 20 cl d'eau.

• Mixez l'ensemble à l'aide d'un robot plongeant. Salez, poivrez et servez.

SAUCE CARBONARA

152 Kcal/pers.

———

À servir avec :
Légumes à la vapeur
Cœurs de palmier
Pâtes complètes
Choux de Bruxelles
Courgettes en rondelles

Œuf
2 jaunes

Feta
50 g

Jambon blanc
2 tranches

Muscade râpée
¼ de cuil. à soupe

Petits-suisses
x 2

 **Sel, poivre**

Préparation : 10 min

- Mélangez les **petits-suisses**, les jaunes d'**œufs**, la **feta** écrasée, le **jambon** coupé en petits morceaux et la **muscade** râpée dans un saladier.
- Salez, poivrez et mélangez au dernier moment à l'aliment choisi.

SAUCE VINAIGRETTE

20 Kcal/pers.

—

À servir avec :
Salades
Poissons, crustacés ou volailles
à la vapeur
Légumes à la vapeur ou à l'eau
Haricots blancs ou lentilles
Semoule

Orange
x 1

Moutarde en grains
2 cuil. à soupe

Sauce soja
4 cuil. à soupe

  **Sel, poivre**

👤👤👤👤

🕐

Préparation : 5 min

• Pressez le jus de l'**orange**. Mélangez-le avec la **moutarde**, la **sauce soja** et 6 cuil. à soupe d'eau. Salez, poivrez et servez.

SAUCE CURRY

258 Kcal/pers.

———

À servir avec : Volaille à la vapeur
Poissons à la vapeur
Fruits de mer grillés et à la vapeur
Légumes à la vapeur
Crudités en bâtonnets
Viandes et poissons grillés
Potiron au four
Pâtes ou riz complets

Curry
2 cuil. à soupe

Mangue
½

Pomme
x 1

Lait de coco
40 cl

Coriandre
20 feuilles

 **Sel, poivre**

👤👤👤👤

🕐

Préparation : 15 min
Cuisson : 30 min

• Épluchez et découpez la **mangue** et la **pomme** en petits morceaux. Faites-les cuire dans une cocotte avec le **lait de coco** et le **curry** 30 min à feu très doux.

• Mixez le tout à l'aide d'un robot plongeant. Salez, poivrez, ajoutez la **coriandre** hachée et servez.

SAUCE BARBECUE

86 Kcal/pers.

—

À servir avec : Viandes, poissons, volailles grillés
Poissons et crustacés grillés ou à la vapeur
Rôtis
Brochettes de viande ou poisson
Légumes grillés
Saucisses grillées ou à la vapeur
Tofu

Haricots rouges
1 petite boîte

Concentré de tomates
1 cuil. à soupe

Pomme
x 1

Miel
3 cuil. à soupe

Sauce soja
6 cuil. à soupe

 **Sel, poivre**

👤👤👤👤

🕐
Préparation : 15 min
Cuisson : 30 min

• Épluchez et découpez la **pomme** en petits morceaux. Faites-les cuire dans une cocotte avec les **haricots rouges** égouttés, le **concentré de tomates**, la **sauce soja**, le **miel** et 2 cl d'eau, 30 min à feu très doux. Mixez le tout à l'aide d'un robot plongeant et servez.

SAUCE KETCHUP

61 Kcal/pers.

À servir avec :
Pâtes ou riz complet
Viandes, poissons, volailles,
grillés
Poissons et crustacés à la vapeur
Pâtes complètes
Légumes à la vapeur
Crudités en bâtonnets
Fenouil râpé, Omelette

Tomates
500 g

Oignon doux
x 1

Miel
3 cuil. à soupe

Concentré de tomates
1 cuil. à soupe

Vinaigre
2 cuil. à soupe

 **Sel, poivre**

Préparation : 15 min
Cuisson : 30 min

• Videz et découpez les **tomates** en petits dés. Faites-les cuire 30 min à feu doux dans une casserole avec le **concentré de tomates**, le **vinaigre**, l'**oignon haché**, le **miel** et 2 cl d'eau. Laissez réduire et compoter.

• Mixez à l'aide d'un robot plongeant. Salez, poivrez et servez.

SAUCE MOUTARDE

50 Kcal/pers.

—

À servir avec : Viandes, poissons,
volailles grillés
Quenelles à la vapeur
Saucisses grillées ou pochées
Poulet et lapin à la broche
Rognons, foies de volaille à la poêle
Choux de Bruxelles à la poêle
Légumes à la vapeur
Rôtis

Moutarde en grains
2 cuil. à soupe

Moutarde
1 cuil. à soupe

Petits-suisses
x 2

Thym séché
2 cuil. à café

 Sel, poivre

⊘

Préparation : 5 min
Cuisson : 10 min

• Mélangez tous les ingrédients dans une casserole. Faites cuire 10 min à feu doux en fouettant. Salez, poivrez et servez.

SAUMON, AVOCAT ET CHAMPIGNONS

477 Kcal/pers.

—

Sans gluten

—

Sans lactose

Pavés de saumon
x 4 (avec peau)

Avocat
x 1

Champignons de Paris
x 8 (gros)

Ciboulette
1 botte

Citron vert
x 1

 **Sel, poivre**

�)(☆☆☆☆

🕑

Préparation : 15 min
Cuisson : 20 min

• Préchauffez le four à 180°C. Enfournez les **pavés de saumon**, la peau sur le dessous, pour 20 min.

• Épluchez et coupez l'**avoca**t en tranches. Coupez la **ciboulette** et émincez les **champignons**. Mélangez avec le jus de **citron vert**. Dressez le saumon chaud recouvert du mélange avocat/champignons. Dégustez.

TARTARE DE BŒUF À L'AUBERGINE

313 Kcal/pers.

—

Sans gluten

—

Sans lactose

Filet de bœuf
600 g

Aubergines
x 3 (moyennes)

Basilic
1 botte

Huile d'olive
2 cuil. à soupe

 Sel, poivre

Préparation : 10 min
Cuisson : 40 min

• Lavez, séchez et hachez le **basilic**. Taillez la **viande** en petits dés réguliers.

• Faites cuire les **aubergines** entières 40 min au cuit-vapeur et laissez-les refroidir. Prélevez la chair avec une cuillère et mélangez-la avec la **viande**, le **basilic** et l'**huile d'olive**. Salez, poivrez et dégustez.

TARTARE DE BŒUF AUX HERBES

229 Kcal/pers.

—

Sans gluten

—

Sans lactose

Filet de bœuf
400 g

Basilic
1 botte

Coriandre
1 botte

Radis roses
x 12

Graines de sésame
2 cuil. à soupe

 **Sel, poivre**

 2 cuil. à soupe d'huile de sésame

Préparation : 20 min

• Lavez, équeutez et coupez les **radis** en petits cubes. Lavez et hachez les herbes.

• Coupez la **viande** en petits morceaux.

• Mélangez tous les ingrédients dans un saladier, salez, poivrez et dégustez.

CÔTE DE BŒUF «VAPEUR»

586 Kcal/pers.

—

Vapeur

—

Sans gluten

Côte de bœuf
x 1 (pas trop grasse)

Œuf
x 1

Estragon
1 botte

Moutarde
1 cuil. à café

Petits-suisses
x 2

 **Sel, poivre**

👤👤👤👤

⏱

Préparation : 15 min
Cuisson : 15 min

• Séparez le blanc du jaune d'**œuf**. Fouettez le jaune avec la **moutarde**, les **petits-suisses** et l'estragon coupé aux ciseaux.

• Montez le blanc en neige ferme et incorporez-le à la préparation aux **petits-suisses**.

• Faites cuire la **côte de bœuf** 15 min précises au cuit-vapeur. Découpez-la en tranches, salez, poivrez et dégustez avec la sauce.

BROCHETTES DE PORC À L'ABRICOT

135 Kcal/pers.

—

Vapeur

—

Sans lactose

Filet mignon de porc
x 1

Abricots
x 8

Sauce soja
2 cuil. à soupe

Miel liquide
1 cuil. à soupe

Coriandre
x 4 brins

Préparation : 15 min
Cuisson : 20 min

• Coupez le **porc** et les **abricots** en morceaux réguliers. Montez 8 brochettes en alternant viande et fruit.

• Faites cuire les brochettes 20 min au cuit-vapeur. Dressez-les dans un plat de service et nappez-les de **sauce soja**, de **miel**. Dégustez avec des feuilles de **coriandre**.

BLANQUETTE DE VEAU COCO

747 Kcal/pers.

—

Sans lactose

—

Sans gluten

Blanquette de veau
1,2 kg

Petits pois
100 g

Pois gourmands
100 g

Pousses d'épinards
100 g

Lait de coco
40 cl

 **Sel, poivre**

👤👤👤👤

🕐

Préparation : 20 min
Cuisson : 1h 10

• Mettez à cuire le **veau** à feu doux 1h dans une cocotte avec 1l d'eau. Retirez la viande, ajoutez le **lait de coco**, faites réduire de moitié et ajoutez les **pois gourmand**, les **petits pois** et les **épinards** équeutés.

• Faites cuire 10 min de plus à feu doux, remettez la viande, salez, poivrez et dégustez.

MIGNON DE PORC AU POIREAU

135 Kcal/pers.

—

Vapeur

—

Sans lactose

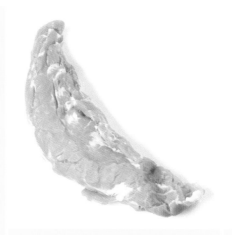
Filet mignon de porc
x 1 (dégraissé)

Poireau
x 1

Moutarde en grains
3 cuil. à soupe

  Sel, poivre

🧍🧍🧍🧍

Préparation : 15 min
Cuisson : 43 min

- Fendez le **poireau** en deux. Lavez-le sous l'eau froide et plongez-le 3 min dans l'eau bouillante.
- Badigeonnez le **filet mignon** de **moutarde** et enveloppez-le de **poireau**. Faites-le cuire 40 min au cuit-vapeur. Salez, poivrez.
- Découpez-le en tranches épaisses et dégustez accompagné de salade et de sauce moutarde.

VEAU AUX CAROTTES ET ROMARIN

567 Kcal/pers.

—

Sans lactose

—

Sans gluten

Blanquette de veau
1,2 kg

Carottes
x 8

Romarin
3 branches

Oignons doux
x 2

 Sel, poivre

🕐

Préparation : 10 min
Cuisson : 1h 30

• Mettez le **veau**, les branches de **romarin** coupées en 2, les **carottes** taillées en rondelles et l'**oignon** haché dans une cocotte en fonte.
• Versez de l'eau à hauteur et laissez cuire 1h 30 à couvert, à feu très doux. Salez, poivrez et servez directement dans la cocotte.

PORC, CHANTERELLES ET MYRTILLES

140 Kcal/pers.

—

Sans lactose

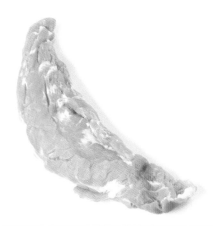

Filet mignon de porc
x 1 (dégraissé)

Chanterelles
300 g

Myrtilles
x 32

Sauce soja
4 cuil. à soupe

 **Sel, poivre**

👤👤👤👤

🕐

Préparation : 15 min
Cuisson : 5 min

• Découpez le **filet mignon** en cubes. Rincez et séchez les **chanterelles**. Lavez les **myrtilles**.
• Saisissez la viande 1 min dans une poêle antiadhésive bien chaude sans huile. Salez, poivrez et laissez cuire 1 min supplémentaire.
• Ajoutez les **champignons**, les **myrtilles**, la **sauce soja** et faites cuire 3 min de plus. Dégustez.

POULET AU POIVRON ET BASILIC

348 Kcal/pers.

—

Sans lactose

—

Sans gluten

Blancs de poulet
x 4

Poivrons rouges
x 2

Ail
6 gousses

Basilic
1 botte

Oignon
x 1

 **Sel, poivre**

Préparation : 10 min
Cuisson : 50 min

• Faites cuire dans une cocotte les **poivrons** coupés en morceaux, l'**ail** épluché et l'**oignon** haché à feu doux 30 min dans 20 cl d'eau.

• Mixez à l'aide d'un robot plongeant.

• Ajoutez le **poulet** taillé en gros cubes, salez, poivrez et laissez cuire encore 20 min. Stoppez le feu, ajoutez le **basilic** haché et dégustez.

FILET DE BŒUF «VAPEUR»

360 Kcal/pers.

—

Vapeur

—

Sans gluten

Filet de bœuf
x 4 (170 g chacun)

Moutarde en grains
4 cuil. à soupe

Aneth
2 bottes

Petits-suisses
x 4

Vinaigre de framboise
2 cuil. à soupe

 Sel, poivre

♟♟♟♟

⏲

Préparation : 10 min
Cuisson : 5 min

• Mélangez les **petits-suisses**, la **moutarde**, le **vinaigre** et les ¾ de l'**aneth** lavé et haché.

• Salez et poivrez les **pavés**. Faites-les cuire 5 min au cuit-vapeur.

• Dressez la viande coupée en tranches dans un plat, parsemez d'un peu d'**aneth** et dégustez avec la sauce.

BROCHETTES DE POULET ET POTIRON

278 Kcal/pers.

—

Sans lactose

—

Sans gluten

Potiron
200 g

Blancs de poulet
600 g

Graines de sésame
2 cuil. à soupe

Vinaigre balsamique
2 cuil. à soupe

Pois gourmands
x 32

Sel, poivre

Préparation : 20 min
Cuisson : 25 min

• Préchauffez le four à 180°C.

• Équeutez les **pois gourmands**. Découpez le **potiron** et le **poulet** en morceaux et montez 4 brochettes en alternant les trois ingrédients.

• Disposez les brochettes dans un plat. Salez, poivrez, arrosez de **vinaigre** et enfournez 25 min. Saupoudrez de **sésame** et dégustez.

TOMATE BURGER

269 Kcal/pers.

—

Sans lactose

—

Sans gluten

Tomates
x 4 (grosses)

steaks hachés
x 4 (100 g chacun)

Moutarde
1 cuil. à café

Salade
8 feuilles

Jambon blanc
2 tranches

Sel, poivre

1 filet d'huile d'olive

Préparation : 15 min
Cuisson : 7 min

• Saisissez les **steaks** 1 min de chaque côté dans une poêle avec 1 filet d'**huile d'olive**.

• Coupez les **tomates** en 2 et badigeonnez l'intérieur de **moutarde**. Disposez une demi-tranche de **jambon** sur une moitié, un **steak** sur l'autre et enfournez 5 min à 180°C.

• Ajoutez les feuilles de **salade**, refermez les burgers et dégustez.

PANAIS ET FOIES DE VOLAILLE AU PORTO

228 Kcal/pers.

—

Sans gluten

Foies de volaille
x 8

Panais
x 4

Porto rouge
4 cuil. à soupe

Myrtilles
x 20

Fromage blanc
2 cuil. à soupe

 Sel, poivre

🫗 **1 filet d'huile d'olive**

👤👤👤👤

🕐
Préparation : 15 min
Cuisson : 25 min

• Épluchez les **panais** et faites-les cuire 25 min dans de l'eau à hauteur. Mixez à l'aide d'un robot plongeant. Ajoutez le **fromage blanc**, salez, poivrez.

• Saisissez les **foies** dans une poêle avec 1 filet d'**huile d'olive**. Ajoutez le **porto** et les **myrtilles**. Laissez réduire en remuant. Dressez les **foies** sur la purée de panais et dégustez.

ESCALOPES AUX CHAMPIGNONS

213 Kcal/pers.

Escalopes de dinde
x 4

Champignons de Paris
500 g

Estragon
1 botte

Crème allégée
50 cl

Sauce soja
4 cuil. à soupe

Sel, poivre

1 filet d'huile d'olive

Préparation : 20 min
Cuisson : 20 min

• Saisissez les **escalopes** dans une poêle avec 1 filet d'huile d'olive. Ajoutez la **sauce soja**, les **champignons** émincés et la crème.
• Laissez cuire 20 min à feu doux en remuant. Salez, poivrez. Ajoutez l'**estragon** haché, mélangez et servez.

POULET POCHÉ GINGEMBRE/CITRONNELLE

477 Kcal/pers.

—

Sans lactose

—

Sans gluten

Poulet
x 1

Gingembre frais
100 g

Citronnelle
4 tiges

Oignons
x 2

Thym
5 branches

 Sel, poivre

👤👤👤👤

⏲

Préparation : 10 min
Cuisson : 1 h

• Placez le **poulet** dans une cocotte avec le **gingembre** coupé en tranches, la **citronnelle** taillée en morceaux, les **oignons** émincés et le **thym**.

• Couvrez d'eau, salez, poivrez et laissez mijoter 1 h à feu doux.

• Servez le **poulet** coupé en morceaux et le bouillon à part.

PETITS POIS ET CANARD À LA SAUGE

405 Kcal/pers.

—

Sans lactose

—

Sans gluten

Aiguillettes de canard
x 8

Feuilles de sauge
x 8

Petits pois
500 g (frais ou surgelés)

Huile d'olive
2 cuil. à soupe

 **Sel, poivre**

👨👨👨👨

🕐

Préparation : 15 min
Cuisson : 12 min

• Faites chauffer l'**huile** dans une poêle et saisissez les **aiguillettes**. Laissez colorer 1 min de chaque côté.

• Ajoutez les **petits pois** et la **sauge** hachée. Baissez le feu et laissez cuire 10 min à feu doux, en remuant. Salez, poivrez et dégustez.

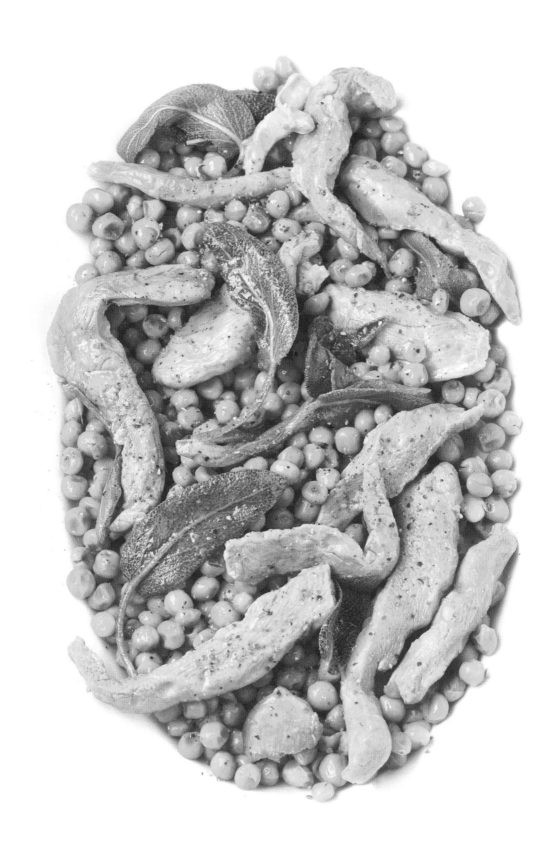

FILET DE BICHE «VAPEUR»

169 Kcal/pers.

—

Sans lactose

Filet de biche
500 g

Fruits rouges
100 g

Sauce soja
6 cuil. à soupe

Estragon
1 botte

Baies roses
1 cuil. à café

Préparation : 10 min
Cuisson : 6 min

• Mélangez ensemble les **fruits rouges**, la **sauce soja** et l'**estragon** haché dans une casserole. Faites cuire 1 min et réservez.

• Salez et poivrez le **filet de biche**. Faites-le cuire 5 min au cuit-vapeur. Coupez-le en tranches et dressez-les dans un plat.

• Saupoudrez la viande de **baies roses** écrasées et dégustez avec les **fruits rouges**.

PAPILLOTES DE POULET AUX GIROLLES

342 Kcal/pers.

—

Sans gluten

Blancs de poulet
600 g

Girolles
240 g

Chèvre frais
150 g

Thym
8 branches

 Sel, poivre

 1 filet d'huile de noix

Préparation : 15 min
Cuisson : 25 min

• Lavez et séchez les **girolles**. Préchauffez le four à 180°C

• Répartissez le **chèvre**, le **poulet** coupé en morceaux, les **girolles** et le **thym** sur 4 feuilles de papier cuisson. Refermez hermétiquement les papillotes et enfournez 25 min.

• Dressez les papillotes sur des assiettes et dégustez avec un filet d'**huile de noix**.

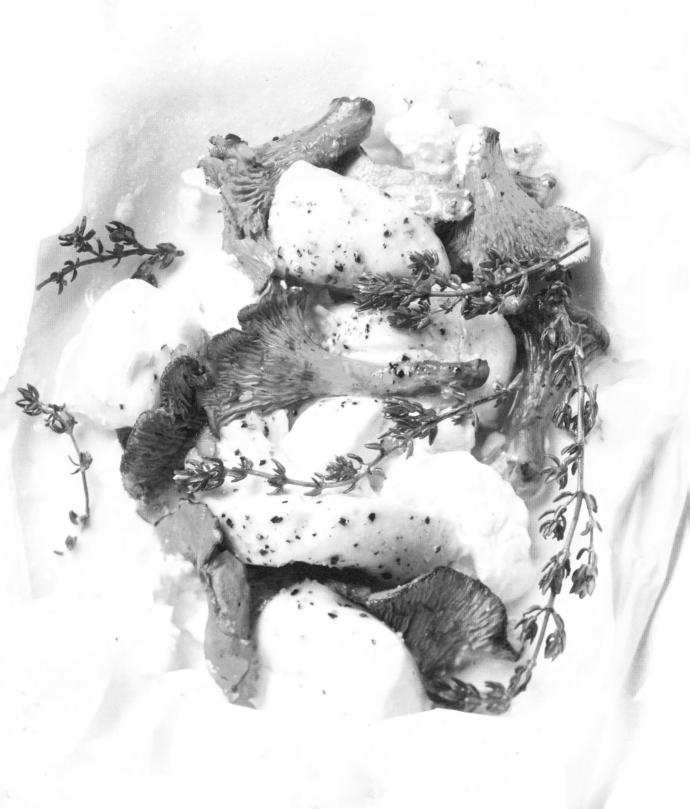

TOMATES FARCIES À L'AUBERGINE

168 Kcal/pers.

—

Sans gluten

—

Sans lactose

Tomates
x 8 (moyennes)

Aubergines
x 2

Bœuf haché
200 g

Thym séché
2 cuil. à soupe

 Sel, poivre

✶✶✶✶

⏱

Préparation : 20 min
Cuisson : 1h

• Faites cuire les **aubergines** 40 min au cuit-vapeur. Prélevez-en la chair et mélangez-la avec la viande et le **thym**. Salez, poivrez.
• Préchauffez le four à 180°C.
• Évidez les **tomates** et farcissez-les avec le mélange bœuf/aubergines. Versez la pulpe des **tomates** dans le plat et enfournez 20 min. Dégustez bien chaud.

PETITS POIS À LA MERGUEZ ET BROCOLIS

194 Kcal/pers.

—

Sans lactose

—

Sans gluten

Petits pois
400 g

Merguez
x 2

Tomates cerise
200 g

Brocolis
250 g

Origan séché
1 cuil. a soupe

 Sel, poivre

☆☆☆☆

⏱

Préparation : 15 min
Cuisson : 40 min

• Piquez les **merguez** et faites-les cuire 20 min à l'eau bouillante. Découpez-les en morceaux et saisissez-les dans une poêle sans matière grasse.

• Ajoutez les **petits pois**, les **tomates cerise**, les **brocolis** coupés en morceaux et l'**origan**. Laissez cuire 20 min en remuant. Salez, poivrez et dégustez.

POT-AU-FEU MAIGRE

544 Kcal/pers.

—

Sans lactose

—

Sans gluten

Paleron de bœuf
900 g

Navets
x 4

Carottes
x 4

Fenouil
2 bulbes

Bouquet garni
x 1

 **Sel, poivre**

👤👤👤👤

🕐

Préparation : 10 min
Cuisson : 2 h

- Disposez la **viande** au fond d'une cocotte et mouillez à hauteur avec de l'eau. Portez à ébullition puis jetez l'eau et rincez la **viande**.
- Remettez la **viande** dans la cocotte, ajoutez les légumes épluchés, le **bouquet garni**, 2 litres d'eau et laissez cuire 2 h à couvert, à feu doux. Salez, poivrez et servez directement dans la cocotte.

BŒUF CAROTTES À LA POÊLE

299 Kcal/pers.

—

Sans lactose

—

Sans gluten

Steaks
x 4 (environ 600 g)

Carottes
500 g

Persil plat
4 branches

Huile d'olive
2 cuil. à soupe

 Sel, poivre

👤👤👤👤

🕐

Préparation : 20 min
Cuisson : 3 min

• Épluchez et râpez les **carottes**. Coupez la **viande** en petits morceaux. Lavez et hachez le **persil plat**.

• Faites chauffer l'**huile** dans une poêle et saisissez-y les morceaux de **viande**. Laissez cuire 1 min à feu vif puis ajoutez les **carottes** et le **persil**. Salez, poivrez, laissez cuire 2 min de plus en remuant et dégustez.

ESCALOPES DE DINDE À LA TOMATE

202 Kcal/pers.

—

Sans lactose

—

Sans gluten

Escalopes de dinde
x 4 (assez fines)

Tomates
x 3 (grosses)

Bouquets garnis
x 2

Vin blanc
8 cl

 **Sel, poivre**

🧍🧍🧍🧍

🕐

Préparation : 10 min
Cuisson : 45 min

• Préchauffez le four à 180°C. Coupez les **escalopes** en 2.

• Taillez les **tomates** en tranches épaisses et intercalez-les avec la **viande** dans un plat à gratin.

• Ajoutez le **vin blanc** et les **bouquets garnis**. Salez, poivrez et enfournez 45 min à 180°C, en arrosant de temps en temps.

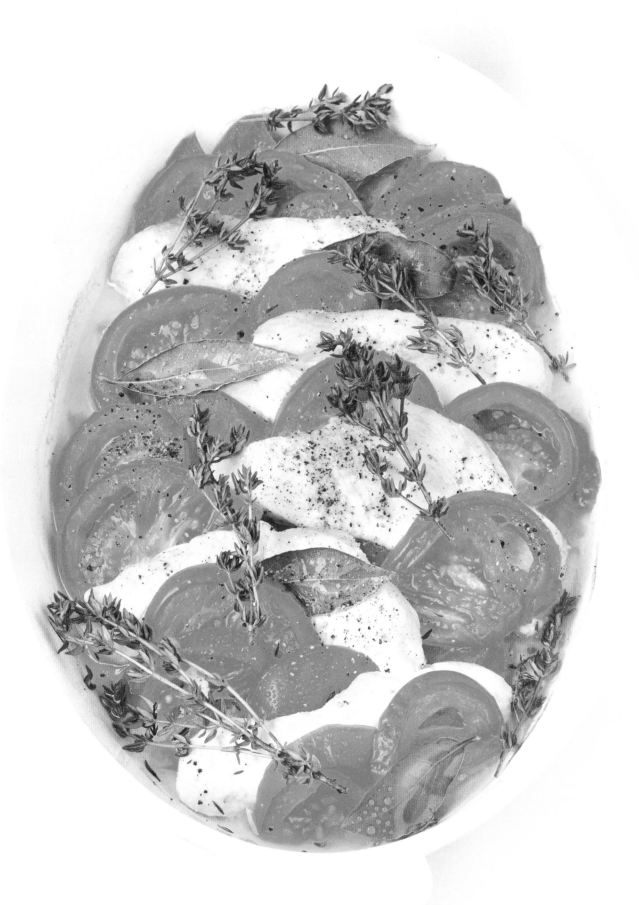

BLANQUETTE DE VEAU AU POTIRON

542 Kcal/pers.

—

Sans lactose

—

Sans gluten

Blanquette de veau
1,2 kg

Potiron
500 g

Oignons blancs
x 2

Graines de sésame
2 cuil. à café

Coriandre
4 brins

Sel, poivre

1 cuil. à soupe d'huile de sésame

Préparation : 20 min
Cuisson : 1h 30

242

• Faites cuire dans une cocotte le **veau** et les **oignons** émincés dans 1,5 l d'eau 1h à feu très doux. Égouttez la viande sur une assiette.

• Ajoutez le **potiron** coupé en morceaux dans la cocotte et laissez cuire 30 min. Mixez-le à l'aide d'un robot plongeant. Salez, poivrez.

• Remettez la **viande** dans la cocotte et ajoutez la **coriandre**, les **graines** et l'**huile de sésame**.

PAPILLOTE DE DINDE, POTIRON ET SAUGE

265 Kcal/pers.

—

Sans gluten

—

Sans lactose

Escalopes de dinde
x 4

Potiron
400 g

Paprika
1 cuil. à soupe

Sauge
12 feuilles

Huile de noix
2 cuil. à soupe

 **Sel, poivre**

👫👫

🕐

Préparation : 10 min
Cuisson : 35 min

• Préchauffez le four à 180°C. Coupez le **potiron** et les **escalopes** en morceaux de taille identique. Répartissez les morceaux avec la **sauge**, le **paprika** sur 4 feuilles de papier cuisson. Salez, poivrez puis fermez hermétiquement les papilllotes. Enfournez 35 min. Dressez sur des assiettes et dégustez avec un filet d'**huile de noix**.

MATELOTE DE LAPIN AUX CHAMPIGNONS

407 Kcal/pers.

—

Sans lactose

—

Sans gluten

Cuisses de lapin
x 4

Champignons de Paris
500 g

Carottes
x 4 (grosses)

Vin blanc
50 cl

Bouquets garnis
x 2

 **Sel, poivre**

♟♟♟♟

⌚ Préparation : 15 min
Cuisson : 1h 30

• Disposez dans une cocotte les **cuisses de lapin**, les **champignons** coupés en quatre, les **carottes** épluchées et coupées en rondelles et les **bouquets garnis**.

• Ajoutez le **vin blanc** et 30 cl d'eau, couvrez et laissez mijoter 1h 30 à feu très doux. Salez, poivrez et servez directement dans la cocotte.

AUBERGINES FARCIES

140 Kcal/pers.

—

Sans gluten

Aubergines
x 2

Bœuf haché
200 g

Cumin
2 cuil. à café

Coriandre
12 brins

Fromage blanc
4 cuil. à soupe

 **Sel, poivre**

👤👤👤👤

⏱ **Préparation : 20 min**
Cuisson : 1h

• Faites cuire les **aubergines** entières 40 min au cuit-vapeur. Prélevez-en la chair avec une cuillère et mélangez-la avec la **viande hachée**, le **fromage blanc**, le **cumin**, et la **coriandre** hachée. Salez, poivrez.

• Préchauffez le four à 180°C.

• Farcissez les **aubergines** et enfournez-les 20 min. Dégustez chaud.

POT-AU-FEU DE GIGOT

581 Kcal/pers.

—

Sans lactose

—

Sans gluten

Gigot raccourci
x 1 (environ 1,2 kg)

Navets nouveaux
1 botte

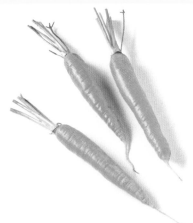
Carottes nouvelles
1 botte

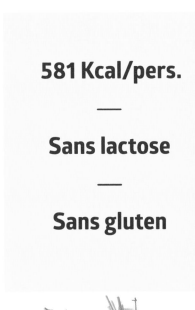
Bouquets garnis
x 2

Poireau
x 1

 Sel, poivre

Préparation : 20 min
Cuisson : 2 h

• Dégraissez le **gigot** et faites-le cuire 1h dans une grande cocotte avec les **bouquets garnis** dans 3 l d'eau.

• Ajoutez-les légumes lavés et épluchés et laissez cuire 1h de plus à feu doux. Salez, poivrez et servez à même la cocotte.

BOULETTES DE BŒUF VAPEUR AU BASILIC

321 Kcal/pers.

—

Vapeur

—

Sans lactose

Bœuf haché
500 g

Graines de cumin
1 cuil. à soupe

Basilic
1 botte

Graine d'anis
1 cuil. à soupe

  Sel, poivre

 1 filet d'huile d'olive

Préparation : 20 min
Cuisson : 3 min

- Hachez le **basilic**. Mélangez la **viande** avec tous les ingrédients. Salez, poivrez.
- Formez huit boulettes de viande identiques et faites-les cuire 3 min au cuit-vapeur.
- Servez les boulettes dans un plat avec un filet d'**huile d'olive**.

COUSCOUS DE QUINOA AU POULET

530 Kcal/pers.

—

Vapeur

—

Sans gluten

Cuisses de poulet
x 4

Merguez
x 2

Courgettes
x 2

Carottes
x 4

Quinoa
250 g

Sel, poivre

Préparation : x min
Cuisson : 35 min

- Retirez la peau des **cuisses de poulet** et faites-les cuire 35 min au cuit-vapeur avec les **merguez**, les **courgettes** taillées en tronçons et les **carottes** épluchées.
- Faites cuire 250 g de **quinoa** dans 1 l d'eau. Dressez-le au fond d'un plat, ajoutez la viande et les légumes et servez tel quel ou avec de la coriandre fraîche.

FILET DE BŒUF «VAPEUR» À L'ESTRAGON

332 Kcal/pers.

—

Vapeur

—

Sans gluten

Pavés de bœuf
x 4 (170 g chacun)

Estragon
2 bottes

Fromage frais
4 portions

 Sel, poivre

Préparation : 5 min
Cuisson : 5 min

- Mélangez la moitié de l'**estragon** haché avec le **fromage**.

- 10 min avant de servir, faites cuire les **pavés de bœuf** 5 min précises au cuit-vapeur. Laissez reposer 30 sec.

- Étalez le **Kiri**® à l'**estragon** au fond d'un plat et disposez la viande en tranches par-dessus. Parsemez du reste d'**estragon**, salez et poivrez.

CUISSES DE POULET RÔTI À LA MOUTARDE

294 Kcal/pers.

—

Sans gluten

Cuisses de poulet
x 4

Moutarde
4 cuil. à soupe

Thym
4 branches

Petits-suisses
x 3

👥👥👥👥

🕐

Préparation : 10 min
Cuisson : 40 min

• Préchauffez le four à 180°C. Mélangez les **petits-suisses** avec la **moutarde** et le **thym**. Salez, poivrez.

• Retirez la peau des **cuisses de poulet** et badigeonnez-les de la préparation à base de **moutarde**. Disposez-les dans un plat et enfournez 40 min. Dégustez.

NAGE DE SAINT-JACQUES AU SAFRAN

58 Kcal/pers.

—

Sans gluten

—

Sans lactose

Coquilles Saint-Jacques
x 12 (avec ou sans corail)

Asperges vertes
x 8

Tomates cerise
x 8

Safran
5 pistils

 Sel, poivre

👤👤👤👤

🕐
Préparation : 15 min
Cuisson : 5 min

• Équeutez et coupez les **asperges** en morceaux. Coupez les **tomates** en 2.

• Réunissez tous les ingrédients dans une cocotte avec 50 cl d'eau et faites cuire 5 min à feu très doux. Salez, poivrez et laissez infuser 5 min. Dégustez.

BAR AU FOUR, SAUCE VITAMINÉE

273 Kcal/pers.

—

Sans lactose

Bar entier écaillé et vidé
x 1 (env 1 kg)

Coriandre
1 botte

Fruits de la Passion
x 2

Kiwis
x 2

Sauce soja
4 cuil. à soupe

 **Sel, poivre**

👪👪👪👪

⏱

Préparation : 10 min
Cuisson : 25 min

• Préchauffez le four à 180°C. Découpez les **kiwis** en petits dés et prélevez la pulpe des **fruits de la Passion**. Mélangez-la avec les **kiwis**, la **sauce soja** et la **coriandre** coupée aux ciseaux.

• Enfournez le **bar entier** 25 min. Piquez-le pour vérifier la cuisson. Retirez la peau. Dégustez avec la sauce et un filet de jus de **citron**.

CABILLAUD AUX HERBES

168 Kcal/pers.

—

Sans lactose

Dos de cabillaud
800 g

Mandarines
x 3

Basilic
1 botte

Coriandre
1 botte

Sauce soja
4 cuil. à soupe

 **Sel, poivre**

 1 filet d'huile d'olive

👨👨👨👨

🕐

Préparation : 15 min
Cuisson : 10 min

• Préchauffez le four à 180°C. Lavez et coupez les herbes aux ciseaux. Pressez et filtrez le jus des **mandarines**.

• Mettez le poisson dans un plat et enfournez 10 minutes. Nappez de jus de **mandarine** et de **sauce soja**. Parsemez d'herbes et dégustez avec un filet d'**huile d'olive**.

DAURADE À LA CHINOISE

210 Kcal/pers.

—

Sans lactose

Daurade rose
x 1 (écaillée et vidée)

Petit poireau
x 1 (petit)

Gingembre
150 g

Citronnelle
2 tiges

Sauce soja
4 cuil. à soupe

 **Sel, poivre**

👤👤👤👤

🕐

Préparation : 20 min
Cuisson : 30 min

• Préchauffez le four à 180°C. Épluchez et râpez le **gingembre** avec une râpe à main. Taillez le **poireau** et la **citronnelle** en très fines lanières.
• Disposez la **daurade** dans un plat. Ajoutez la garniture et un verre d'eau, puis enfournez 30 min en arrosant régulièrement du jus de cuisson. Dégustez avec un filet de **sauce soja**.

POULPE AUX AROMATES

180 Kcal/pers.

—

Sans lactose

—

Sans gluten

Poulpe
x 1 (environ 1 kg)

Tomates cerise
650 g

Vin blanc
5 cl

Bouquet garni
x 1

Câpres
100 g

 Sel, poivre

Préparation : 15 min
Cuisson : 40 min

• Mettez le **poulpe** dans une cocotte. Recouvrez d'eau et portez à ébullition. Comptez 20 min et arrêtez le feu. Laissez le **poulpe** refroidir dans la cocotte.

• Faites cuire les **tomates** coupées 20 min avec le **vin blanc**, 5 cl d'eau de cuisson, les **câpres** et le **bouquet garni**. Ajoutez le **poulpe** coupé en morceaux. Salez, poivrez et dégustez.

CHOUCROUTE DE GAMBAS AU CUMIN

365 Kcal/pers.

—

Sans lactose

Gambas géantes
x 4 (crues et décortiquées)

Choucroute cuite
500 g

Graines de cumin
2 cuil. à soupe

Aneth
1 botte

Bière
20 cl

 **Sel, poivre**

👤👤👤👤

🕐

Préparation : 5 min
Cuisson : 20 min

• Faites cuire dans une cocotte la **choucroute** avec la **bière** et le cumin 20 min à feu doux. À mi-cuisson, ajoutez les **gambas** coupées en 2. Salez, poivrez.

• Dressez la choucroute de gambas dans un plat et parsemez d'**aneth** coupé aux ciseaux. Dégustez.

PAPILLOTES DE MAQUEREAU

240 Kcal /pers.

—

Sans lactose

—

Sans gluten

Maquereau
4 filets

Moutarde en grains
2 cuil. à soupe

Poireau
x 1 (petit)

Romarin
4 branches

Préparation : 15 min
Cuisson : 20 min

• Préchauffez le four à 180°C. Répartissez le **poireau** émincé, les filets de **maquereau**, le **romarin** et la **moutarde** au centre de 4 feuilles de papier cuisson.

• Fermez hermétiquement les papillotes et enfournez 20 min. Dressez sur des assiettes et dégustez.

MARINIÈRE DE PALOURDES AU JAMBON

270 Kcal /pers.

—

Sans gluten

palourdes
x 60

Jambon blanc
3 tranches (sans couenne)

Crème légère
20 cl

Thym citron
1 botte

 Sel, poivre

♁♁♁♁

Préparation : 20 min
Cuisson : 10 min

• Hachez finement les tranches de **jambon**. Brossez les **palourdes** sous un filet d'eau froide et ouvrez-les à feu vif dans 2 cl d'eau et le thym.

• Répartissez les **palourdes** dans 4 bols. Filtrez le jus de cuisson, ajoutez-y la crème et portez à ébullition. Nappez les **palourdes** de **crème**.

• Ajoutez les morceaux de **jambon**, mélangez délicatement et dégustez.

ESPADON VAPEUR AUX AROMATES

237 Kcal/pers.

—

Vapeur

—

Sans gluten

Espadon
4 tranches

Tomates cerise
x 8

Origan
2 cuil. à café

Huile d'olive
2 cuil. à soupe

Câpres
4 cuil. à café

Sel, poivre

Préparation : 10 min
Cuisson : 5 min

• Coupez les **tomates** en quartiers et mélangez-les avec les **câpres**, l'**origan** et l'**huile d'olive**. Salez, poivrez.

• Faites cuire les **tranches d'espadon** 5 min au cuit-vapeur. Dressez-les dans un plat et nappez-les du mélange tomates-aromates. Dégustez.

PAPILLOTES DE LIEU NOIR AU CITRON

150 Kcal/pers.

—

Sans gluten

—

Sans lactose

Lieu noir
4 filets

Olives noires
x 20 (dénoyautées)

Citrons
x 2

Tomates
x 4 (moyennes)

Romarin
4 branches

 **Sel, poivre**

👤👤👤👤

🕐

Préparation : 10 min
Cuisson : 15 min

- Préchauffez le four à 180°C.
- Répartissez les filets de poisson, les **tomates** et les **citrons** coupés en tranches, le **romarin** et les **olives** au centre de 4 feuilles de papier cuisson.
- Fermez hermétiquement les papillotes. Enfournez-les 15 minutes. Dressez sur des assiettes et servez.

LIEU NOIR AUX CHAMPIGNONS

170 Kcal/pers.

—

Sans lactose

Lieu noir
4 filets

Chanterelles
200 g

Girolles
200 g

Estragon
1 botte

Sauce soja
8 cuil. à soupe

Sel, poivre

👤👤👤👤

🕐

Préparation : 10 min
Cuisson : 15 min

• Préchauffez le four à 180°C. Disposez les filets de **lieu** dans un grand plat, ajoutez les **champignons** lavés et coupés en morceaux, 2 cl d'eau et la **sauce soja**. Enfournez 15 min.

• Ajoutez l'**estragon** coupé aux ciseaux et servez directement dans le plat.

PAUPIETTES AUX 2 SAUMONS

410 Kcal/pers.

—

Vapeur

—

Sans gluten

Saumon frais
400 g

Saumon fumé
8 tranches

Œufs de saumon
4 cuil. à café

Citrons verts
x 2

 Sel, poivre

👦👦👦👦

🕐

Préparation : 15 min
Cuisson : 3 min

- Mélangez le **saumon frais** coupé en morceaux avec les **œufs de saumon** et le jus des **citrons verts**. Salez, poivrez.
- Répartissez le mélange au centre des tranches de **saumon fumé**. Refermez-les délicatement en formant des petites paupiettes.
- Posez les paupiettes sur du papier cuisson et faites-les cuire 3 min au cuit-vapeur.

PAPILLOTE DE TURBOT À L'ORANGE

260 Kcal/pers.

—

Sans lactose

Turbots
x 2 (700 g chacun)

Oranges
x 2

Thym
6 branches

Huile d'olive
1 cuil. à soupe

Sauce soja
4 cuil. à soupe

 **Sel, poivre**

♀♂♀♂

🕑

Préparation : 10 min
Cuisson : 25 min

• Pressez le jus de 1 **orange** et coupez la seconde en rondelles.

• Répartissez les **turbots**, les rondelles et le jus d'**oranges**, le **thym** et l'**huile d'olive** au centre de 2 grandes feuilles de papier cuisson.

• Fermez hermétiquement les papillotes. Enfournez 25 min et piquez pour vérifier la cuisson. Dégustez avec un filet de **sauce soja**.

PAPILLOTES DE CABILLAUD

120 Kcal/pers.

—

Sans lactose

—

Sans gluten

Dos de cabillaud
600 g

Radis roses
x 12

Concombre
100 g

Graines d'anis
2 cuil. à café

 Sel, poivre

1 filet d'huile d'olive

✶✶✶✶

Préparation : 15 min
Cuisson : 25 min

• Préchauffez le four à 180°C.

• Disposez les **dos de cabillaud** au centre de 4 feuilles de papier cuisson. Ajoutez les **radis** et le **concombre** coupé en tranches fines. Saupoudrez de **graines d'anis**, salez, poivrez.

• Refermez hermétiquement les papillotes et enfournez 25 min. Dégustez avec un filet d'**huile d'olive**.

PAPILLOTES DE DAURADE AU THYM

133 Kcal/pers.

—

Sans lactose

—

Sans gluten

Daurade
4 filets

Tomates cerise
x 12

Courgettes
x 2 (petites)

Thym
12 branches

Laurier
4 feuilles

 **Sel, poivre**

1 filet d'huile d'olive

👤👤👤👤

🕐

Préparation : 20 min
Cuisson : 25 min

- Préchauffez le four à 180°C.
- Disposez les **filets de daurade** au centre de 4 feuilles de papier cuisson. Ajoutez les **tomates** coupées en deux, les **courgettes** râpées, le **thym** et le **laurier**. Salez, poivrez.
- Refermez hermétiquement les papillotes et enfournez 25 min. Dégustez avec un **filet d'huile d'olive**.

SAUMON AUX ASPERGES

104 Kcal/pers.

—

Sans lactose

—

Sans gluten

Pavés de saumon
x 4

Asperges vertes
x 16

Graines de courge
2 cuil. à soupe

  Sel, poivre

 1 filet d'huile d'olive

Préparation : 10 min
Cuisson : 5 min

- Équeutez et découpez les **asperges** en morceaux.
- Placez les **pavés de saumon**, les morceaux d'**asperges** et les **graines de courge** dans un cuit-vapeur. Salez, poivrez et faites cuire 5 min.
- Dressez les **pavés de saumon** dans des assiettes individuelles. Arrosez d'un filet d'**huile d'olive** et dégustez.

PAPILLOTE DE SAINT-JACQUES

135 Kcal/pers.

—

Sans lactose

—

Sans gluten

Coquilles Saint-Jacques
x 12

Crevettes
x 12 (crues et décortiquées)

Tomates cerise
x 24 (multicolores)

Origan séché
1 cuil. à soupe

Vin blanc
4 cuil. à soupe

 Sel, poivre

 1 filet d'huile d'olive

Préparation : 10 min
Cuisson : 25 min

• Préchauffez le four à 180°C.
• Répartissez les **saint-jacques** et les **crevettes** au centre de 4 feuilles de papier cuisson. Ajoutez les **tomates**, le **vin blanc** et l'**origan**. Salez, poivrez.
• Refermez hermétiquement les papillotes et enfournez 25 min. Dégustez avec un filet d'**huile d'olive**.

ROUGETS À L'ORANGE ET AU ROMARIN

200 Kcal/pers.

—

Sans lactose

—

Sans gluten

rougets entiers
x 4 (écaillés et vidés)

Orange
x 1

Romarin
2 branches

Ail
4 gousses

Citrons verts
x 2

 **Sel, poivre**

 1 filet d'huile d'olive

👤👤👤👤

⏱

Préparation : 15 min
Cuisson : 15 min
Marinade : 2 h

• Placez les **rougets** dans un grand plat. Ajoutez le **romarin**, l'**ail** haché et le jus de l'**orange** et des **citrons verts**. Salez, poivrez et faites mariner 2 h au frais.

• Préchauffez le four à 180°C et enfournez les **rougets** 15 min. Nappez-les de marinade et dégustez avec un filet d'**huile d'olive**.

294

SAINT-JACQUES ET CRÈME DE PANAIS

140 Kcal/pers.

—

Sans lactose

—

Sans gluten

Saint-jacques
x 8 + 4 coquilles propres

Panais
300 g

Citrons bio
x 3

Thym frais
4 branches

 1 filet d'huile d'olive

♟♟♟♟

Préparation : 20 min
Cuisson : 35 min

• Faites cuire les **panais** 30 min dans une casserole avec de l'eau à hauteur. Mixez à l'aide d'un robot plongeant.

• Salez, poivrez et répartissez la purée dans 4 coquilles. Ajoutez les noix de **saint-jacques** crues et le **thym**. Râpez les zestes des **citrons** sur les coquilles. Enfournez 5 min à 180°C et dégustez avec un filet d'**huile d'olive**.

CURRY DE POULPE

594 Kcal/pers.

—

Sans gluten

—

Sans lactose

Poulpe
x 1 (1 kg)

Curry
2 cuil. à soupe

Lait de coco
80 cl

Courgettes
x 2

Basilic
1 botte

Préparation : 25 min
Cuisson : 45 min

• Hachez le **basilic**. Faites cuire les **courgettes** en rondelles dans le **lait de coco** et le **curry** 25 min à feu doux.

• Mettez le **poulpe** dans une cocotte, recouvrez d'eau et portez à ébullition. Comptez 20 min et stoppez le feu. Laissez refroidir dans la cocotte.

• Ajoutez le **poulpe** coupé en morceaux et le **basilic** dans la sauce. Réchauffez et dégustez.

ROUGET, CÉLERI ET POMME

224 Kcal/pers.

—

Sans gluten

—

Sans lactose

Rouget
8 filets

Pomme
x 1

Céleri rave
600 g

Graines de fenouil
1 cuil. a soupe

  Sel, poivre

 1 filet d'huile d'olive

Préparation : 20 min
Cuisson : 45 min

• Coupez la **pomme** (réservez quelques lamelles) et le **céleri** en cubes. Faites-les cuire dans une casserole 35 min à feu doux dans 50 cl d'eau. Mixez, salez et poivrez.

• Versez la purée dans un plat à gratin. Disposez les **rougets** et les lamelles de pomme, saupoudrez de **graines de fenouil** et enfournez 10 min. Dégustez avec un filet d'**huile d'olive**.

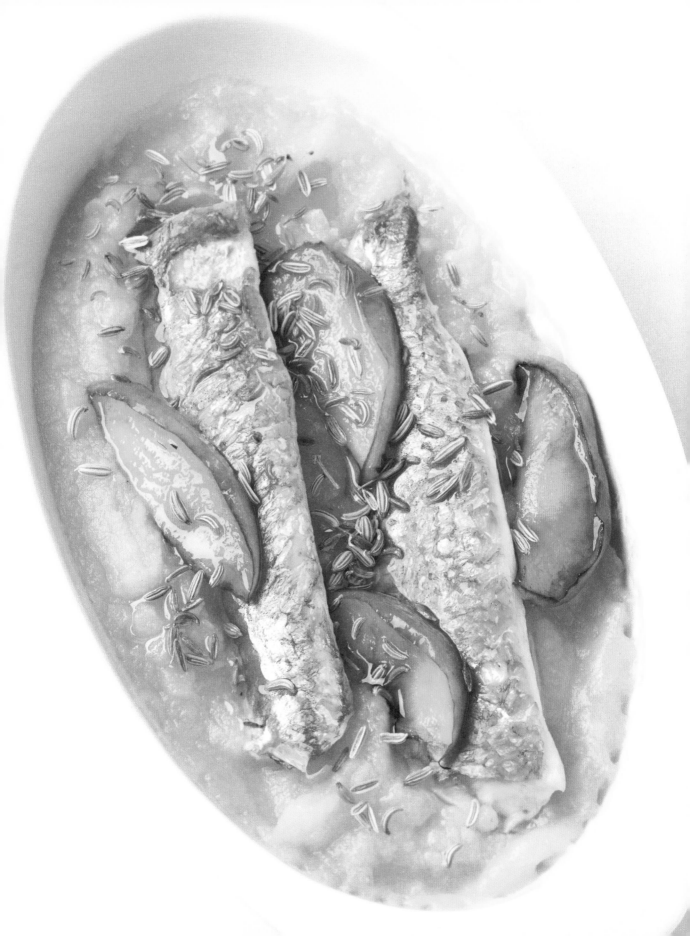

FILET DE BAR À LA TOMATE

134 Kcal/pers.

—

Vapeur

—

Sans gluten

Bar
4 filets (sans peau)

Tomates
x 4 (moyennes)

Basilic
12 grandes feuilles

 Sel, poivre

1 filet d'huile d'olive

Préparation : 15 min
Cuisson : 10 min

• Découpez les **filets de bar** et les **tomates** en trois. Glissez un morceau de **bar** et une feuille de **basilic** entre chaque couche de **tomate**. Salez, poivrez. Fixez chaque **tomate** avec une pique et faites-les cuire 10 min au cuit-vapeur.

• Dressez les **tomates** dans des assiettes, retirez les piques et dégustez-les avec un filet d'huile d'olive.

SAINT-JACQUES AU MIEL ET ASPERGES

64 Kcal/pers.

—

Sans lactose

Coquilles Saint-Jacques
x 12

Asperges vertes
x 12

Miel liquide
2 cuil. à soupe

Thym
4 branches

Sauce soja
3 cuil. à soupe

Préparation : 20 min
Cuisson : 10 min

- Équeutez et coupez les **asperges** en morceaux.
- Chauffez le **miel** dans une poêle. Saisissez les **saint-jacques** et les **asperges** dans le **miel** mousseux. Ajoutez le **thym** et la **sauce soja**.
- Laissez cuire 3 min en remuant, salez, poivrez et dégustez.

SAINT-JACQUES PIMENTÉES À LA THAÏE

130 Kcal/pers.

—

Sans lactose

—

Sans gluten

Coquilles Saint-Jacques
x 16 (avec ou sans corail)

Gingembre
50 g

piment rouge
x 1 (facultatif)

Citronnelle
2 tiges

Basilic
20 feuilles

Préparation : 10 min
Cuisson : 15 min

• Préchauffez le four à 180°C. Répartissez les **saint-jacques**, le **gingembre** épluché et râpé, la **citronnelle** et le **piment** finement émincé au centre de 4 feuilles de papier cuisson.

• Refermez hermétiquement les papillotes et enfournez 15 min. Ajoutez les feuilles de **basilic** et dégustez.

DOS DE CABILLAUD À L'ORIENTALE

367 Kcal/pers.

—

Sans lactose

—

Sans gluten

Pavés de cabillaud
x 4 (env 180 g chacun)

Poivrons rouges
x 2

Citrons confits
x 2

Lait de coco
40 cl

Olives noires
x 20 (dénoyautées)

 **Sel, poivre**

1 filet d'huile d'olive

👤👤👤👤

🕐
Préparation : 25 min
Cuisson : 40 min

• Faites cuire les **poivrons** coupés en morceaux 20 min dans le **lait de coco**. Mixez à l'aide d'un robot plongeant. Salez et poivrez.

• Préchauffez le four à 180°C. Disposez le **cabillaud** dans un plat et nappez-le du coulis de poivron. Ajoutez les **citrons confits** coupés en morceaux et les **olives**. Enfournez 20 min. Dégustez avec un filet d'**huile d'olive**.

JOUES DE LOTTE À LA TOMATE

195 Kcal/pers.

—

Sans lactose

—

Sans gluten

Joues de lotte
600 g

Tomates cerise
500 g (multicolores)

Vin blanc
10 cl

Basilic
20 feuilles

Huile d'olive
1 cuil. à soupe

 Sel, poivre

Préparation : 10 min
Cuisson : 25 min

• Faites cuire les **joues de lotte** 25 min à feu doux avec les **tomates** coupées en deux, le **vin blanc**, 2 cl d'eau et l'**huile d'olive** dans une cocotte.

• Salez, poivrez. Ajoutez les feuilles de **basilic**, mélangez et dégustez.

POT-AU-FEU DE LOTTE AU SAFRAN

193 Kcal/pers.

—

Sans lactose

—

Sans gluten

Lotte
x 1 (environ 800 g)

Poireau
x 1

Navets
x 6

Safran
10 pistils

Carottes
x 4

Sel, poivre

Préparation : 15 min
Cuisson : 45 min

• Faites cuire dans une cocotte la **lotte**, les légumes épluchés et le **safran** 45 min à feu très doux dans 1,5 l d'eau. Ajoutez un peu d'eau si le bouillon réduit trop. Salez, poivrez. Servez directement dans la cocotte.

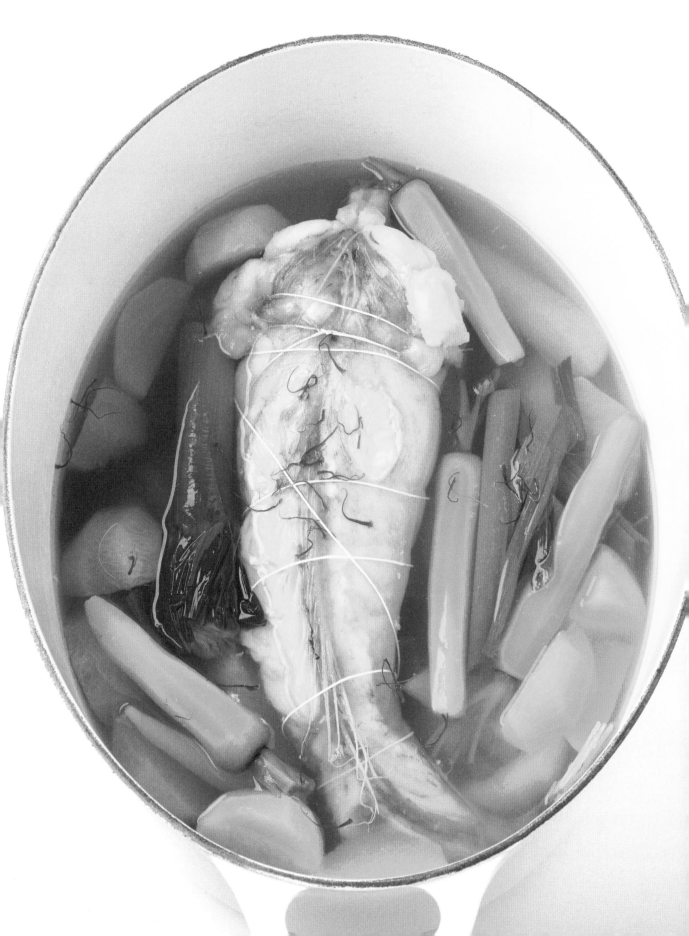

PAPILLOTES DE SAUMON AUX LÉGUMES

322 Kcal/pers.

—

Sans lactose

—

Sans gluten

Pavés de saumon
x 4 (150 g chacun)

Petits pois
200 g

Courgette
x 1

Basilic
1 botte

Pois gourmands
120 g

 **Sel, poivre**

 1 filet d'huile d'olive

Préparation : 15 min
Cuisson : 15 min

- Préchauffez le four à 180°C.
- Répartissez les **pavés de saumon**, les **courgettes** coupées en rondelles et le reste des légumes au centre de 4 feuilles de papier cuisson. Fermez hermétiquement les papillotes.
- Enfournez 15 min. Parsemez de **basilic** coupé aux ciseaux et dégustez avec un filet d'**huile d'olive**.

PAPILLOTE DE MERLAN ET COQUILLAGES

178 Kcal/pers.

—

Sans gluten

—

Sans lactose

Merlan
4 filets

Crevettes
x 8 (crues décortiquées)

Coques
x 20

Moules
x 20

Thym
8 branches

 **Sel, poivre**

Préparation : 15 min
Cuisson : 15 min

- Préchauffez le four à 180°C.
- Répartissez les filets de **merlan**, les **crevettes**, les **moules**, les **coques** et le **thym** au centre de 4 feuilles de papier cuisson. Fermez hermétiquement les papillotes.
- Enfournez 20 min. Dressez sur des assiettes et dégustez.

MAQUEREAU À LA JAPONAISE

304 Kcal/pers.

—

Sans lactose

Maquereau
4 filets (150 g chacun)

Radis roses
x 16

Sauce soja
1 cuil. à soupe

Gingembre confit
30 g

Wasabi
1 cuil. à café

Préparation : 15 min
Cuisson : 20 min

- Préchauffez le four à 180°C.
- Répartissez les filets de **maquereau**, les **radis** coupés en rondelles, le **gingembre**, la **sauce soja** et le **wasabi** au centre de 4 feuilles de papier cuisson. Fermez hermétiquement les papillotes.
- Enfournez 20 min. Dressez sur des assiettes et dégustez.

PAPILLOTES DE MOULES AU ROMARIN

180 Kcal/pers.

—

Sans gluten

—

Sans lactose

Moules
2 litres

Romarin
8 branches

Tomates cerise
x 20

  **Sel, poivre**

Préparation : 10 min
Cuisson : 20 min

• Préchauffez le four à 180 °C.

• Répartissez les **moules**, le **romarin** et les **tomates** coupées en 2 au centre de 4 feuilles de papier cuisson. Fermez hermétiquement les papillotes.

• Enfournez 20 min. Dressez sur des assiettes et dégustez.

QUICHE PETITS POIS, CHÈVRE, ÉPINARDS

264 Kcal/pers.

—

Veggie

—

Sans gluten

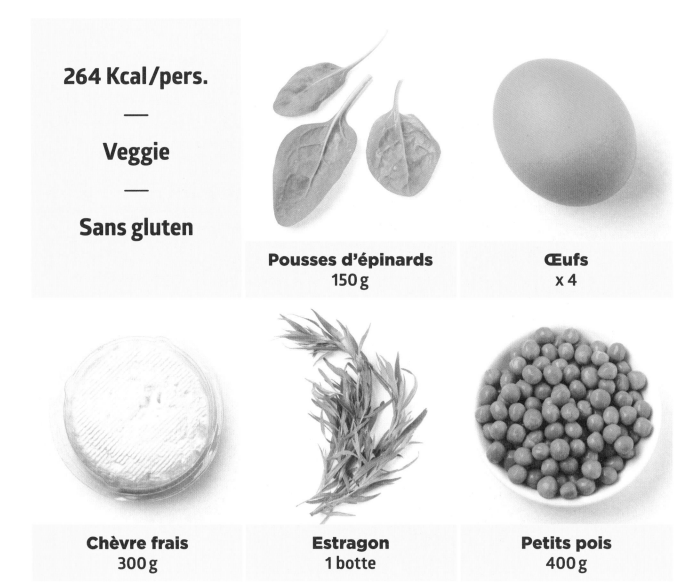

Pousses d'épinards
150 g

Œufs
x 4

Chèvre frais
300 g

Estragon
1 botte

Petits pois
400 g

 **Sel, poivre**

Préparation : 30 min
Cuisson : 25 min

• Préchauffez le four à 200°C. Recouvrez le fond d'un grand moule à tarte de papier cuisson humidifié.

• Mélangez le **chèvre**, les **petits pois**, les **épinards** équeutés, l'**estragon** coupé aux ciseaux et les **œufs**. Salez, poivrez.

• Versez la préparation dans le moule, tassez et enfournez 25 min. Dégustez chaud ou froid.

FLEURS DE COURGETTE FARCIES

273 Kcal/pers.

—

Veggie

—

Sans gluten

Fleurs de courgettes
x 8

Citrons
x 2

Origan séché
2 cuil. à café

Œuf
x 1

Ricotta
400 g

  Sel, poivre

 1 filet d'huile d'olive

Préparation : 20 min
Cuisson : 25 min

• Préchauffez le four à 180°C. Mélangez le **chèvre**, l'**origan**, l'**œuf**, le jus des **citrons** et leurs zestes râpés. Salez, poivrez.

• Équeutez les **courgettes**. Garnissez délicatement les fleurs de la farce à l'aide d'une petite cuillère. Posez les **courgettes** dans un plat et enfournez-les 25 min. Dégustez tiède ou froid avec un filet d'**huile d'olive**.

COUSCOUS DE LÉGUMES

97 Kcal/pers.

—

Veggie

—

Vapeur

Chou-fleur
900 g

Navets fanes
1 botte

Radis roses
x 12

Carottes fanes
1 botte

Coriandre
1 botte

 **Sel, poivre**

1 filet d'huile d'olive

Préparation : 25 min
Cuisson : 20 min

- Lavez et découpez la **coriandre** aux ciseaux.
- Épluchez les **carottes** et les **navets** et équeutez les **radis**. Retirez les parties dures du **chou-fleur** et râpez-le. Posez-le sur une feuille de papier cuisson et déposez dessus le reste des légumes. Faites cuire 20 min au cuit-vapeur.
- Dégustez avec la **coriandre** et un filet d'**huile d'olive**.

TARTE À LA TOMATE, CHÈVRE ET ROMARIN

225 Kcal/pers.

—

Veggie

—

Sans gluten

Tomates cerise jaunes
300 g

Chèvre frais
300 g

Œufs
x 4

Romarin
1 branche

 Sel, poivre

👤👤👤👤

🕐

Préparation : 30 min
Cuisson : 25 min

• Préchauffez le four à 200°C. Recouvrez le fond d'un grand moule à tarte de papier cuisson humidifié.

• Mélangez le **chèvre**, les **tomates** coupées en morceaux, le **romarin** haché et les **œufs**. Salez, poivrez.

• Versez la préparation dans le moule, tassez et enfournez 25 min. Dégustez chaud ou froid.

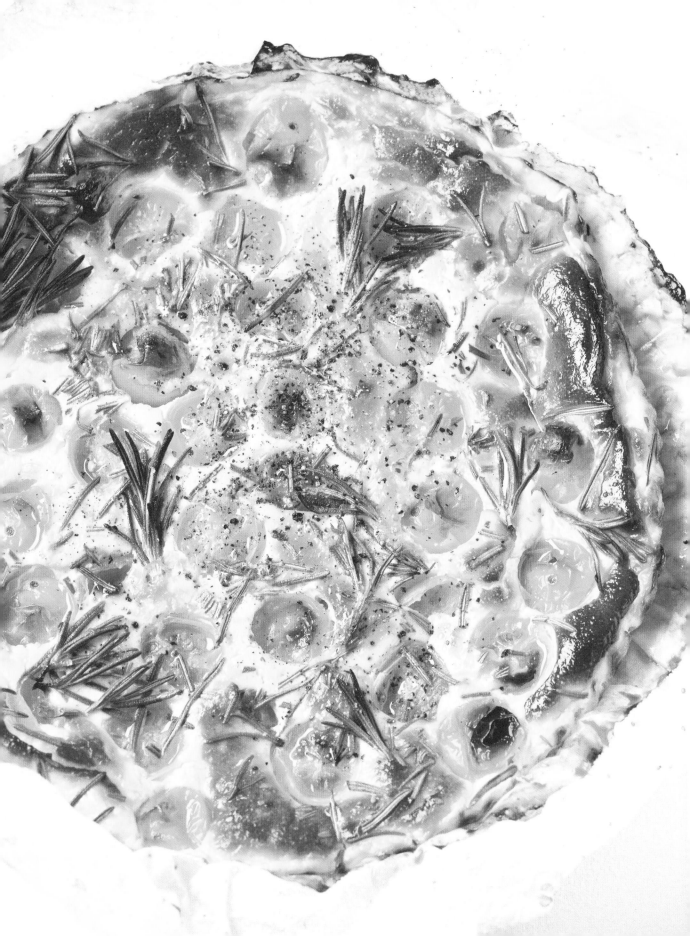

POT-AU-FEU DE LÉGUMES

31 Kcal/pers.

—

Veggie

Navets boule d'or
x 4

Poireau
x 1

Carottes
x 4

Sauge
1 botte

Sel, poivre

👤👤👤👤

⏲

Préparation : 20 min
Cuisson : 1h

• Coupez le poireau en 3 et lavez-le. Épluchez les **carottes** et les **navets**.

• Faites cuire dans une cocotte les légumes avec la **sauge** 1h à feu très doux dans 2 l d'eau. Salez, poivrez et dégustez chaud.

LÉGUMES VERTS AU POIVRON

117 Kcal/pers.

—

Veggie

Poivrons rouges
x 2

Brocolis
200 g

Petits pois
200 g

Origan
2 cuil. à café

Pois gourmands
400 g

Préparation : 10 min
Cuisson : 25 min

• Faites cuire les **pois gourmands**, le **brocoli** coupé en morceaux et les **petits pois** 10 min au cuit-vapeur.

• Faites cuire dans une casserole les **poivrons** 15 min dans 10 cl d'eau. Salez, poivrez et mixez à l'aide d'un robot plongeant.

• Versez le coulis de poivrons au fond d'un plat. Recouvrez-le de légumes et ajoutez l'**origan**.

SALADE DE CLÉMENTINES ET PISTACHES

118 Kcal/pers.

—

Sans gluten

—

Sans lactose

Clémentines
x 16 (sans pépins)

Pistaches mondées
2 cuil. à soupe

Estragon
4 branches

Eau de fleur d'oranger
4 cuil. à soupe

Miel
1 cuil. à soupe

Préparation : 30 min
Marinade : 20 min

• Concassez les **pistaches**. Mélangez le **miel** avec la **fleur d'oranger**.

• Épluchez les **clémentines** à vif avec un couteau bien aiguisé. Coupez-les en tranches.

• Mélangez tous les ingrédients dans un saladier. Laissez mariner 20 min au frais. Ajoutez l'**estragon** haché et dégustez.

GRATIN DE MYRTILLES

182 Kcal/pers.

—

Sans gluten

Myrtilles
300 g

Œufs
x 2

Lait
10 cl

Miel
1 cuil. à soupe

Poudre d'amandes
50 g

Préparation : 10 min
Cuisson : 20 min

• Préchauffez le four à 180°C.

• Fouettez ensemble tous les ingrédients, les **myrtilles** exceptées.

• Disposez les **myrtilles** au fond de 4 petits plats à gratin. Répartissez la préparation et enfournez 20 min. Dégustez tiède ou froid.

NEMS ABRICOTS ET ROMARIN

118 Kcal/pers.

—

Sans lactose

Abricots
x 8

Romarin
4 petites branches

Miel
2 cuil. à soupe

Huile d'olive
4 cuil. à soupe

Feuilles de brick
x 4

Préparation : 15 min
Cuisson : 25 min

• Préchauffez le four à 180°C. Dénoyautez les **abricots** et coupez-les en morceaux.
• Étalez les feuilles de **brick** et badigeonnez-les d'**huile d'olive**. Répartissez les **abricots** et le romarin haché au centre de chacune. Nappez de **miel**. Rabattez les côtés et roulez les **feuilles de brick** en serrant bien pour former 4 nems.
• Enfournez-les 25 min. Dégustez chaud.

FRUITS ROUGES ET PASTÈQUE

161 Kcal/pers.

—

Sans sucre ajouté

—

Vegan

Fraises
400 g

Pastèque
400 g

Myrtilles
100 g

Champagne rosé
50 cl

Pamplemousse rose
x 1

Préparation : 10 min
Réfrigération : x min

• Découpez la **pastèque** en petits morceaux. Dressez-la dans des bols individuels avec les **fraises** coupées en 4 et les myrtilles. Ajoutez le jus de **pamplemousse** filtré.

• Réservez au frais jusqu'au moment de servir. Versez le **Champagne rosé** bien frais dans les bols et dégustez immédiatement.

CLAFOUTIS AUX CERISES

133 Kcal/pers.

—

Sans gluten

Cerises
x 60

Œufs
x 2

Lait
10 cl

Miel liquide
1 cuil. à soupe

Poudre d'amandes
50 g

Préparation : 20 min
Cuisson : 25 min

- Préchauffez le four à 180°C
- Fouettez ensemble tous les ingrédients, les **cerises** exceptées.
- Dénoyautez les **cerises** et mettez-les au fond d'un plat à gratin. Recouvrez de la préparation et enfournez 25 min. Dégustez tiède ou froid.

BOULES COCO-CHOCOLAT

313 Kcal/pers.

—

Sans gluten

Noix de coco râpée
180 g

Chocolat 70% de cacao
6 carrés

Œufs
2 blancs

Miel
2 cuil. à soupe

Préparation : 15 min
Cuisson : 5 min

• Préchauffez le four à 210°C.

• Mélangez du bout des doigts les blancs d'**œuf** avec le **miel** et la **noix de coco**. Formez 12 boules et disposez-les, en les espaçant sur une plaque recouverte de papier cuisson.

• Insérez ½ **carré de chocolat** au centre de chaque boule. Enfournez 5 min. Laissez refroidir et dégustez.

SOUPE DE CERISES INFUSÉES À LA MENTHE

133 Kcal/pers.

—

Sans gluten

—

Sans lactose

Cerises
x 32

Menthe
1 botte

Vin rouge
50 cl

Miel
3 cuil. à soupe

Anis étoilés
x 5

Préparation : 15 min
Cuisson : 25 min
Infusion : 1h

• Faites cuire le **vin** 25 min à feu très doux avec le **miel** et l'**anis étoilé**. Éteignez le feu et ajoutez la botte de **menthe** entière. Laissez infuser 1h au frais. Retirez la **menthe**.
• Dénoyautez les **cerises**. Mélangez-les au **vin rouge** et dégustez.

ABRICOTS À LA VANILLE ET AU CITRON

106 Kcal/pers.

—

Vegan

Abricots
x 8

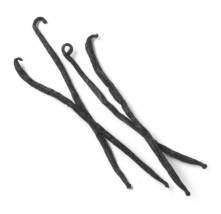

Vanille
2 gousses

Citron
x 1

Vin blanc liquoreux
50 cl

Préparation : 10 min
Cuisson : 45 min

• Versez le **vin blanc** dans une casserole. Ajoutez la **vanille** (gousses fendues et grattées) et les zestes et le jus du **citron**. Portez à ébullition et laissez réduire de moitié à feu doux.

• Dénoyautez les **abricots** et ajoutez-les dans la casserole. Éteignez le feu. Laissez infuser au frais. Dégustez froid.

LITCHIS ET FRAMBOISES AU CHAMPAGNE

110 Kcal/pers.

—

Vegan

—

Sans gluten

Framboises
250 g

Litchis
x 20

Menthe
8 feuilles

Champagne rosé
50 cl

Préparation : 15 min
Cuisson : 25 min

• Épluchez et coupez les **litchis** en morceaux. Taillez les **framboises** en 2. Lavez et émincez la **menthe** et mélangez-la aux fruits. Répartissez-les dans des assiettes creuses individuelles.

• Réservez au frais. Au moment de servir, versez le **Champagne rosé** bien frais sur les fruits et dégustez immédiatement.

POMMES AU FOUR

146 Kcal/pers.

—

Sans lactose

Pommes à cuire
x 4

Pruneaux
x 8 (dénoyautés)

Noisettes
x 20

Miel
4 cuil. à soupe

Amandes effilées
2 cuil. à soupe

Préparation : 10 min
Cuisson : 20 min

• Préchauffez le four à 180°C.

• Coupez le dessus des **pommes** et évidez-les. Mélangez la chair avec les **pruneaux** coupés en petits morceaux, les **amandes** et les **noisettes** écrasées et le **miel**.

• Farcissez les pommes et enfournez 20 min. Dégustez tiède.

MOUSSE CHOCOLAT/FRAMBOISE

450 Kcal/pers.

—

Sans gluten

Chocolat 70% de cacao
200 g

Œufs
x 6

Framboises
200 g

Préparation : 20 min
Réfrigération : 2 h

- Séparez les blancs des jaunes d'**œuf**. Faites fondre le **chocolat** au bain-marie et mélangez-le avec les jaunes.
- Montez les blancs en neige et incorporez-les délicatement au **chocolat** fondu. Ajoutez les **framboises** coupées en morceaux.
- Répartissez la mousse dans 4 ramequins et laissez durcir 2 h au réfrigérateur.

ABRICOTS GRATINÉS AUX AMANDES

64 Kcal/pers.

—

Sans gluten

—

Sans lactose

Abricots
x 4

Amandes effilées
2 cuil. à soupe

Miel liquide
2 cuil. à soupe

Poudre d'amandes
3 cuil. à soupe

Préparation : 15 min
Cuisson : 11 min

• Préchauffez le four à 180°C. Dénoyautez les **abricots** et coupez-les en 2.

• Faites chauffer le **miel** avec la **poudre d'amandes** et les **amandes effilée**s 1 min en remuant avec une spatule.

• Garnissez les **abricots** du mélange miel-amandes et enfournez 10 min. Dégustez chaud ou froid.

PASSION, CHOCOLAT

—

105 Kcal/pers.

—

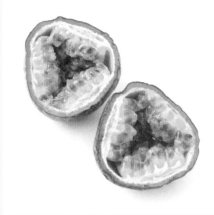

Fruits de la Passion
x 6

Chocolat 70% de cacao
4 carrés

Crème allégée
4 cuil. à soupe

Préparation : 10 min
Cuisson : 5 min
Réfrigération : 1h

• Coupez les **fruits de la Passion** en deux, récupérez la pulpe. Posez un récipient avec le **chocolat** et la **crème** au-dessus d'une casserole d'eau bouillante et faites fondre en remuant avec une spatule. Stoppez le feu, ajoutez la pulpe, mélangez et garnissez les **fruits de la Passion** avec cette préparation. Laissez prendre 1 heure au frais et dégustez.

CITRON MI-GIVRÉ À LA FRAMBOISE

130 Kcal /pers.

—

Sans gluten

Citrons
x 4

Framboises
100 g

Miel liquide
2 cuil. à soupe

Petits-suisses
x 4

Préparation : 15 min
Congélation : 1h 15 min

- Découpez le haut des **citrons**. Videz-les à l'aide d'un couteau bien aiguisé et récupérez le jus.
- Fouettez les **petits-suisses** avec les **framboises** écrasées, le miel et la moitié du jus des **citrons**. Remplissez les citrons et mettez à durcir 1h 15 min au congélateur. Dégustez mi-givré.

MILLEFEUILLES POIRES-MÛRES

91 Kcal/pers.

—

Sans sucre ajouté

Poires
x 2

Mûres
100 g

Feuilles de brick
x 2

Vanille
1 gousse

Petits-suisses
x 2

 1 cuil. à soupe
d'huile d'olive

☆☆☆☆

⊘

Préparation : 10 min
Cuisson : 5 min

• Préchauffez le four à 200°C. Badigeonnez les **feuilles de brick** d'**huile d'olive**.

• Faites-les dorer 5 min au four et cassez-les en 12 morceaux.

• Mélangez la **poire** en morceaux avec les **mûres** écrasées, les **petits-suisses** et la **vanille** grattée. Dressez dans des assiettes en intercalant les **feuilles de brick** et les fruits.

SALADE DE FRUITS AU VIN ROSÉ

222 Kcal/pers.

—

Vegan

—

Sans sucre ajouté

Melons
x 2

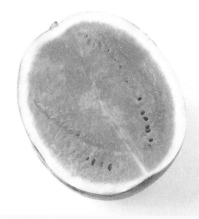
Pastèque
200 g

Myrtilles
100 g

Framboises
200 g

Vin rosé
50 cl

Préparation : 10 min
Réfrigération : 15 min

• Coupez les **melons** en 2. Évidez-les et coupez la chair en petits morceaux. Mélangez-les avec les **myrtilles**, les **framboises** coupées en 2 et la **pastèque** taillée en morceaux.
• Répartissez les fruits dans les 4 moitiés de **melon**. Versez le rosé et laissez mariner 15 minutes au frais avant de servir.

GRATIN DE NECTARINES AUX PIGNONS

116 Kcal/pers.

—

Sans gluten

—

Sans lactose

Nectarines
x 4

Pignons de pin
3 cuil. à soupe

Poudre d'amandes
3 cuil. à soupe

Eau de fleur d'oranger
3 cuil. à soupe

Miel liquide
2 cuil. à soupe

Préparation : 15 min
Cuisson : 21 min

• Préchauffez le four à 180°C. Faites chauffer le **miel** et l'**eau de fleur d'oranger** 1 min à la casserole.

• Dénoyautez et coupez les **nectarines** en tranches. Disposez-les dans un plat allant au four. Saupoudrez de **poudre d'amandes** et de **pignons**. Nappez du mélange miel/fleur d'oranger et enfournez 20 min. Dégustez tiède.

ENTREMET GLACÉ AUX FRUITS ROUGES

116 Kcal/pers.

—

Sans gluten

Fruits rouges
250 g

Œuf
2 blancs

Petits-suisses
x 2

Miel liquide
50 g

Préparation : 25 min
Congélation : 1 nuit

• Écrasez les **fruits** avec les **petits-suisses**. Montez les blancs en neige. Une fois montés, versez le **miel** chaud en continuant de fouetter pendant 1 min.

• Incorporez les **blancs** au mélange petits-suisses/fruits rouges. Versez l'ensemble dans un moule. Laissez prendre 1 nuit au congélateur. Dégustez en tranches épaisses.

MOUSSE AU CHOCOLAT AU FOUR

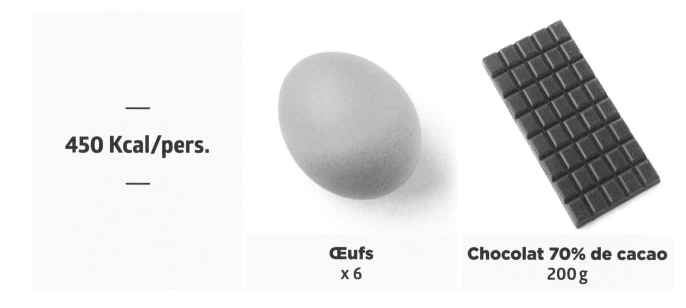

—
450 Kcal/pers.
—

Œufs
x 6

Chocolat 70% de cacao
200 g

Cacao en poudre
2 cuil. à soupe

Préparation : 15 min
Cuisson : 6 min

• Préchauffez le four à 200°C. Séparez les blancs des jaunes d'**œuf**. Faites fondre le **chocolat** au bain-marie et mélangez-le avec les jaunes d'**œufs**.

• Montez les blancs en neige et incorporez-les délicatement au chocolat fondu.

• Répartissez la mousse dans des ramequins et enfournez-les 9 min. Saupoudrez de **cacao** et dégustez tiède.

GRANITÉ À LA POIRE

65 Kcal/pers.

—

Vegan

—

Sans sucre ajouté

Poires
x 4 (bien mûres)

Basilic
8 feuilles

Citron
x 1

🕐
Préparation : 15 min

- Épluchez et coupez les **poires** en morceaux. Mélangez avec le jus du **citron**. Réservez au frais.
- Juste avant de déguster, répartissez la moitié des **poires** dans des assiettes. Mixez le reste des **poires** avec le **basilic** et 15 glaçons dans un blender.
- Recouvrez les **poires** de granité et dégustez immédiatement.

TABLE DES MATIÈRES

INDEX DES RECETTES
PAR INGRÉDIENT PRINCIPAL

MAI 2016

SIMPLISSIME
L'APPLI
DE CUISINE
LA+ FACILE
DU MONDE

Pour l'éditeur, le principe est d'utiliser des papiers composés de fibres naturelles,
renouvelables, recyclables et fabriqués à partir de bois issus de forêts
qui adoptent un système d'aménagement durable. En outre, l'éditeur attend
de ses fournisseurs de papier qu'ils s'inscrivent dans une démarche de certification
environnementale reconnue.

Direction : Catherine Saunier-Talec
Responsable artistique : Antoine Béon
Responsable éditoriale : Céline Le Lamer

Conception graphique et mise en pages : Marie-Paule Jaulme
Fabrication : Amélie Latsch
Responsable partenariats : Sophie Morier (smorier@hachette-livre.fr)

Dépôt légal : février 2016
7031726/04
ISBN : 9782011356420
Imprimé en Espagne par Estella en juillet 2016
www.hachette-pratique.com

PAPIER À BASE DE
FIBRES CERTIFIÉES

3,49 kg q. CO_2
Rendez-vous sur
www.hachette-durable.fr